劉福春・李怡 主編

民國文學珍稀文獻集成

第一輯

新詩舊集影印叢編　第 2 冊

【胡適卷】

嘗試集

上海：亞東圖書館 1920 年 3 月版

胡適　著

花木蘭文化出版社

國家圖書館出版品預行編目資料

嘗試集／胡適　著 -- 初版 -- 新北市：花木蘭文化出版社，2016
〔民 105〕
182 面；19 ×26 公分
（民國文學珍稀文獻集成．第一輯．新詩舊集影印叢編　第 2 冊）
ISBN：978-986-404-622-5（套書精裝）
831.8　　105002931

ISBN-978-986-404-622-5
9 789864 046225

民國文學珍稀文獻集成．第一輯．新詩舊集影印叢編（1-50 冊）
第 2 冊

嘗試集

著　者　胡適
主　編　劉福春、李怡
企　劃　首都師範大學中國詩歌研究中心
　　　　北京師範大學民國歷史文化與文學研究中心
　　　　（臺灣）政治大學民國歷史文化與文學研究中心
總 編 輯　杜潔祥
副總編輯　楊嘉樂
編　輯　許郁翎
出　版　花木蘭文化出版社
社　長　高小娟
聯絡地址　235 新北市中和區中安街七二號十三樓
　　　　電話：02-2923-1455／傳眞：02-2923-1452
網　址　http://www.huamulan.tw 信箱 hml 810518@gmail.com
印　刷　普羅文化出版廣告事業
初　版　2016 年 4 月
定　價　第一輯 1-50 冊（精裝）新台幣 120,000 元

嘗試集

胡適 著

胡適(1891-1962)原名胡嗣穈，生於上海。

亞東圖書館(上海)一九二〇年三月初版。原書三十二開。

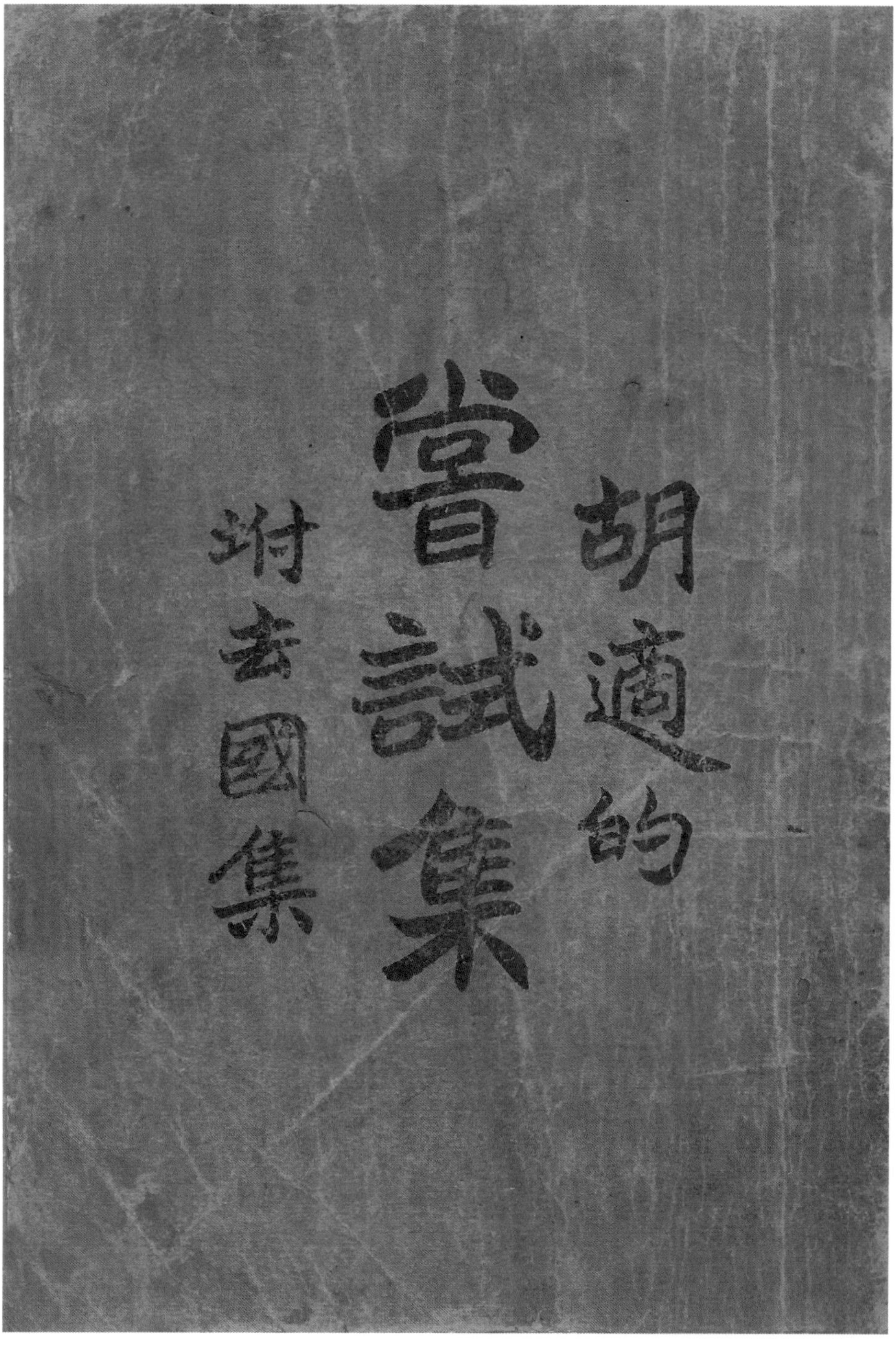
胡適的
嘗試集
附去國集

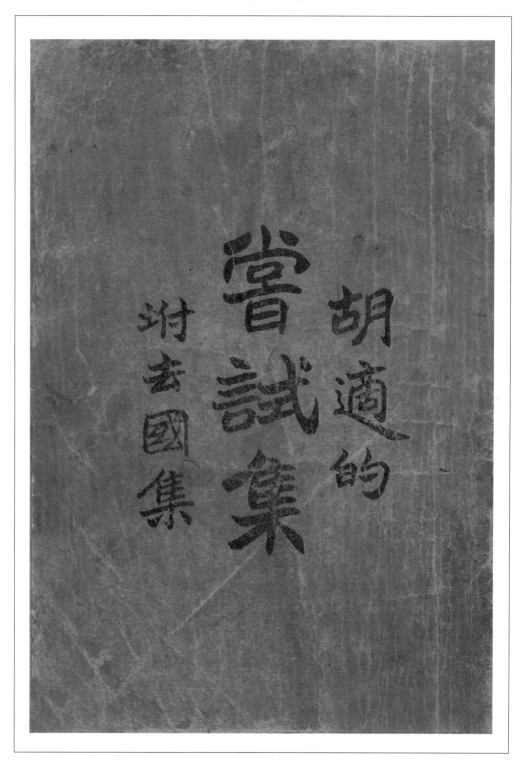

目錄

目錄 二

嘗試集　第二編

目錄 四

附錄去國集

目錄　六

嘗試集序

一九一七年十月，適之拿這本嘗試集第一集給我看。其中所錄，都是一年以來適之所作的白話詩。

適之是中國現代第一個提倡白話文學——新文學——的人。我以前看見適之作的一篇文學改良芻議，主張作詩文不避俗語俗字；現在又看見這本嘗試集，居然就實行用白話來作詩。我對於適之這樣『知』了就『行』的舉動，是非常佩服的。

我現在想：中國古人造字的時候，語言和文字必定完全一致。因爲文字本來是語言的記號，嘴裏說這個聲音手下寫的就是表這個聲音的記號。斷沒有手下寫的記號和嘴裏說的聲音不相合的。拿『六書』裏的『轉注』來一看，很可以證明這個道理。像那表『年高』的意義的話，這邊叫作 lau，便造個『老』字，那邊叫作 khau，便又造個『考』字。同是一個意義，聲音小小不同，便造了兩個字，可見語言和文字必定一致。因爲那邊既叫作 khau，要是仍寫『老』字，便顯不出他的音讀和 lau 不同，所以必須別造『考』字。照這樣看來，豈非嘴裏說的聲音和手下寫的記號，不能不相合嗎？所以我說造字的時候，語言和文字必定完全一致的。

再看說文裏的『形聲』字，『正篆』和『重文』所從的『聲』，儘有不在一個韻部裏的；漢晉以後所用的字，儘有改變古字的『聲』的；又有說文裏雖有『本字』，而後人因爲音讀變古，不得不假借別的同音字來替代的：——這都是今音與古音不同而字形跟了改變的證據。

至於古語和今語的變遷，更有可以證明的。例如『父』『母』兩字古音本讀 pu mai，後來音變爲 fu mu，把古音的 pu mai 完全消滅了，所以未曾別造新字；但是讀書雖讀 fu

，mu講話却又變爲pa ma，于是在『父』『母』兩字以外，又別造『爸』『媽』兩字來表pa，ma；的音。此外如用在句末表商度的『夫』字古音讀bu，音變爲fu，講話時又變爲ba，于是就借用『罷』字；用在句末表疑問的『無』字古音讀mu，音變爲vu，再變爲u，講話時又變爲ma，就別造『嗎』字：——這都可以證明字形一定跟着字音轉變的。

照這樣看來，漢字的字形既然跟着字音轉變，那便該永遠是『言文一致』的了。爲甚麼二千年來，語言和文字又相去到這樣的遠呢？

我想這是有兩個緣故。

第一，給那些民賊弄壞的。

那些民賊，最喜歡擺架子，無論甚麼事情，總要和平民兩樣，才可以使他那野蠻的體制尊崇起來。像那喫的，穿的，住的，妻妾的等級，僕役的數目，都要定得不近人情，並且決不許他人效法。對於文字，也用這個辦法。所以嬴政看了那辠犯的『辠』字和皇帝的『皇』字（『辠』字的古寫）上半都從『自』字，便硬把『辠』字改用『罪』字。『朕』字本來和『我』字一樣，在周朝，無論甚麼人自己都可以稱『朕』，像那屈平的離騷第二句，『朕皇考曰伯庸』，就是一個證據；到了嬴政，又把這『朕』字獨佔去，不許他人自稱。此外像『宮』字『璽』字『欽』字『御』字之類，都不許他人學他那樣用。又因爲中國國民很有『尊古』的皮氣，民賊又利用這一點，作起那甚麼『制』『詔』『上諭』來，一定要寫上幾個尚書裏的字眼，像甚麼『誕膺天命』，『寅紹丕基』之類，好叫那富於奴性的人可以震驚讚歎。於是那些小民賊也從而效尤，定出許多野蠻的款式來。凡是作到文章，尊貴對於卑賤，必須要裝出許多妄自尊大看不起人的口吻，卑賤對於尊貴，又必須要裝出許多灣腰屈膝脅肩諂笑的口吻。其實這些所謂『尊貴』，所謂『卑賤』的人，當面講話，究竟彼此也沒有甚麼大分別；只有作到文章，便可以實行那『驕』『諂』兩個字。要是沒有那種『驕』『諂』

的文章這些民賊的架子便擺不起來了，所以他們是最反對那質樸的白話文章的。 這種沒有道理的辦法行得久了，習非成是，大家反以爲文章不可不照這樣作的；要是有人不照這樣作，還要說他不對。 這是言文分離的第一個緣故。

第二，給那些文妖弄壞的。

周秦以前的文章，大都是用白話作的。像那盤庚，大誥，後世讀了，雖然覺得『佶屈聱牙』，異常古奧，然而這種文章，實在是當時的白話告示。 又像那堯典裏用『都』，『俞』，『吁』，『咈』等字，和現在的白話文章裏用『啊呀』，『嗄』，『哦』，『唉』等字有甚麼分別？ 公羊用齊言，楚辭用楚語，和現在的小說裏攙入蘇州，上海，廣東，北京等處的方言有甚麼分別？ 還有一層，所用的白話，要是古今有異，那就一定用今語，決不硬嵌古字，強摹古調。 像孟子裏說的，『洚水者洪水也，』『泄泄猶沓沓也，』這是因爲古今語言不同，古人叫『洚水』和『泄泄』，孟軻的時候叫『洪水』和『沓沓，』所以孟軻自己作文章，必用『洪水』和『沓沓，』

到了引用古書雖未便直改原文，可是必須用當時的語言去說明古語。　再看李耳，孔丘，墨翟，莊周，孟軻，荀況，韓非這些人的著作文筆無一相同，都是各人作自己的文章，絕不摹擬別人。所以周秦以前的文章很有價值。　到了西漢，言文已漸分離，然而司馬遷作史記采用尙書，一定要改去原來的古語作漢朝人通用的文章。　像『庶績咸熙』改爲『衆功皆興』『嚚庸可乎』改爲『頑凶勿用』之類。　可知其時言文雖然分離，但是作到文章仍舊不能和當時的語言相差太遠。　要是過於古奧的文句，還是不適用的。　東漢的王充作論衡，其『自紀』篇中有曰，『論衡者，論之平也。　口則務在明言，筆則務在露文。』　又曰，『言以明志，言恐滅遺，故著之文字；文字與言同趨，何爲猶當隱閉指意？』　又曰，『經傳之文，賢聖之語，古今言殊，四方談異也。　當言事時，非務難知，使指閉隱也。』　這是表明言文應該一致，甚麼時代的人便該用甚麼時代的話。

不料西漢末年，出了一個楊雄，做了文妖的始祖。　這個文妖的文章，專門摹擬古人。　一部法言，看了眞要叫人噁心。他的辭賦，又是異常雕琢，東漢一代頗受他的影響，到了建安七子，連寫信札都要裝模作樣，安上許多浮詞。六朝的駢文，滿紙堆砌詞藻，毫無眞實的情感；甚至用了典故來代實事，删割他人的名號去就他的文章對偶。打開文選一看，這種拙劣惡濫的文章，觸目皆是。直到現在，還有一種妄人說，『文章應該照這樣作，』『文選文章爲千古文章之正宗。』這是第一種弄壞白話文章的文妖。

唐朝的韓愈，柳宗元，矯正文選派的弊害，所作的文章，略能近於語言之自然。要是繼起的人能夠守住韓柳矯弊的意思，漸漸的回到白話路上來，豈不甚好。無如宋朝的歐陽修，蘇洵，這些人，名爲學韓學柳，却不會學韓柳的矯弊，但會學韓柳的句調間架，無論作甚麼文章，都有一定的腔調。這種可笑的文章，和那文選派相比，眞如二五和一十，半斤和八兩的比例。明清以來，歸有光，方苞，姚鼐，曾國藩這些人，拚命作韓柳歐蘇那些人的死奴隸，立了甚麼『桐城派』的名目，還有甚麼『義法』的話，鬧得烏煙瘴氣。全不想想，作文章是爲的甚麼；也不看看，秦漢以前的文章是個甚麼樣子。分明是自己作的，偏要叫作『古文』，但看這個名稱，便可知其人一竅不通，毫無常識。那曾國藩說得更妙，他道『古文無施不宜，但不宜說理耳。』這眞是自畫供招，表明這種甚麼『古文』是毫無價值的文章了。這是第二種弄壞白話文章的文妖。

這兩種文妖，是最反對那老實的白話文章的。因爲作了白話文章，則第一種文妖便不能搬運他那些垃圾的典故，肉麻的詞藻；第二種文妖便不能賣弄他那些可笑的義法，無謂的格律。并且若用白話作文章，那會作文章的人必定漸漸的多起來，這些文妖就失去了他那會作文章的名貴身分，這是他最不願意的。

二千年來的文學被民賊和文妖弄壞，固然是很可惜的事。但是民賊和文妖的能力，究竟有限，終不能滅盡白話文學的種子。所以在這二千年中，白話的文學也常常發現：——

論議和記載的文章，像司馬遷的史記，王充的論衡，其中的文章，縱不能斷定他純粹是當時的白話，但必可斷定他是近於白話的。 此外如王羲之，蘇軾，朱熹，王守仁，李贄，鄭燮諸人的信札，頗有許多純粹用白話寫的，（明朝愛用白話寫信的人，很多很多。）至於宋明兩朝學者的『語錄』，純粹是用白話記的，那更不消說了。

白話詩是更多了。 我們簡直可以斷言：中國的白話詩，自從詩經起，直到元明的戲曲，是沒有間斷過的。 漢魏六朝的樂府歌謠，都是自由使用他們當時的語言作成的；看他抒情的眞摯，和造句的自然，實在可以和詩經中的『風』詩比美。 其他如陶潛的五言詩，李白杜甫諸人的古體詩，白居易的新樂府，李煜，柳永，辛棄疾，蘇軾諸人的詞的一部分，邵雍張九成這些理學先生的詩，關漢卿到李漁諸人的曲，……都是白話詩。

從元朝以後，小說漸漸發達。 最有價值的，如施耐菴的水滸，曹雪芹的紅樓夢，吳敬梓的儒林外史，都是用極自然的白話作的，那是不消說了。 其他如吳承恩的西遊記，李汝珍的鏡花緣，李伯元的官場現形記，吳沃堯的二十年目覩之怪現狀之類，也不失爲舊小說中第二流的佳作；他們也是純粹用白話作的。

我拿上列的白話雜文白話詩白話小說去同那些文妖的著作相比，覺得文妖很是可憐。原來他們表面上雖然好像橫行一世，其實他們是毫無支配社會的能力的。這是因爲他們沒有思想沒有情感的緣故。你看！司馬遷能作史記，他們只能作『某公神道碑』『某君墓誌銘』；王充能作論衡，宋明學者的弟子能記語錄，他們只能作管仲論李斯論王羲之諸人能寫達意的白話信，他們只能作毫無意思的贈序；二千年中許多眞文學家能作活潑潑的詩；他們只能作無病呻吟的詩；施耐菴諸人能作善寫人情的小說，他們只能作聖哲畫像記一類的東西。他們這些著作，只有科舉時代當他八股和試帖詩的參考書讀；除此以外，就沒有甚麼用處了。到了現代，略知文事的人，都不屑去研究他們，他們幾乎有『煙消霧滅』的趨勢：所以我說他們可憐，——但是可憐而不足惜的。

有人對我說：『你說白話文學是從前早已有過的，那麼你們現在提倡白話的文學，只是復古，並非創新了；何以又稱爲「新文學」呢？』我說：他這話實在是不對的。我上面所說從前有白話文學，不過敘述過去的歷史，表明以前本有白話文學罷了；並不是說我們現在所提倡的新文學就是這從前的白話文學，更不是說我們現在就應該學這從前的白話文學。我們都知道某時代有某時代的文學。文學裏的思想情感，乃至材料文字句調，都是爲時代所支配。粗淺說來，如杜甫白居易歎息天寶以來從軍之苦，曹雪芹致慨於清初貴族的腐敗家庭，吳敬梓專事形容康乾間書獃子的議論行爲：——這都是就當時的社會描寫的。我們只承認這些書的自身有他們的『歷史的價值』，決不主張我們今日該去摹擬他們。要是現在的人作詩，表面學樂府或學元曲，內容也是『明妃出塞』或『待月西廂』之類；作小說，表而學章回體，內容也是『打虎』或『殺嫂』之類那就和文妖說的甚麼『學韓』『學杜』同一可笑了。

所以我們現在作白話的文學，應該自由使用現代的白話，——要是再用『遮莫』『顛不剌的』『兀不的……也麼哥』之類，就和用詩經裏的『載』字『言』字『式』字一樣的不對，——自由發表我們自己的思想和情感。這才是現代的白話文學，——才是我們所要提倡的『新文學』。

適之這本嘗試集第一集裏的白話詩，就是用現代的白話達適之自己的思想和情感，不用古語，不抄襲前人詩裏說過的話。我以爲的確當得起『新文學』這個名詞。

不過我對於適之的詩，也有小小不滿意的地方：就是其中有幾首還是用『詞』的句調；有幾首詩因爲被『五言』的字數所拘，似乎不能和語言恰合；至於所用的文字，有幾處似乎還嫌太文。所以我於一九一七年七月二日曾經寫信給適之說：——

玄同對於先生之白話詩，竊以爲猶未能脫盡文言窠臼。如月第一首後二句，是文非話；月第三首及江上一首完全是文言；……又先生近作之白話詞（采桑子）鄙意亦嫌太文。且有韻之文，本有可歌與不可歌二種。尋常所作，自以不可歌者爲多。既不可歌，則長短任意，仿古，新創，無所不可。至於可歌之韻文，則所塡之字，必須恰合音律，方爲合格。詞之爲物，在宋世本是可歌者，故各有調名。後世音律失傳，於是文士按前人所作之字數平仄，一一照塡，而云『調寄某某』。此等塡詞，實與作不可歌之韻文無異；起古之知音者於九原而示之，恐必有不合音節之字之句，就詢塡詞之本人以此調音節若何，亦必茫然無以爲對。玄同之意，以爲與其寫了『調寄某某』而不知其調，則何如直作不可歌之韻文乎？（按，那時我還未曾和適之見面，所舉各詩，都是登在新青年裏面的。）

十月三十一日，我又寫信給適之說：——

現在我們着手改革的初期，應該盡量用白話去作，才是。倘使稍懷顧忌，對於『文』的一部分不能完全捨去，那麼便不免存留舊汚，於進行方面，很有阻礙。

十一月二十日接到適之的復信說：——

先生論吾所作白話詩，以爲『未能脫盡文言窠臼』。此等諍言，最不易得。吾於去年（五年）夏秋初作白話詩之時，實力屛文言，不雜一字。如朋友，他，嘗試篇之類皆是。其後忽變易宗旨，以爲文言中有許多字儘可輸入白話詩中。故今年所作詩詞，往往不避文言。……但是先生十月三十一日來書所言，也極有道理。……所以我在北京所作的白話詩，都不用文言了。

……古來作詞者，僅有幾個人能深知音律。其餘的詞人，都不能歌。其實詞不必可歌。由詩變而爲詞，乃是中國韻文史上一大革命。五言七言之詩，不合語言之自然，故變而爲詞。詞，舊名『長短句。』其長處正在長短互用，稍近語言之自然耳。即如稼軒詞：『落日樓頭，斷鴻聲裏，江南遊子，把吳鉤看了，闌干拍遍，無人會，登臨意，』此决非五言七言之詩所能及也。故詞與詩之別，並不在一可歌而一不可歌，乃在一近語言之自然而一不近語言之自然也。作詞而不能歌之，不足爲病。正如唐人絕句大半可歌，然今人不能歌亦不妨作絕句也。

詞之重要，在於其爲中國韻文添無數近於語言之自然之詩體。此爲治文學史者所最不可忽之點。不會塡詞者，必以爲詞之字字句句皆有定律，其束縛自由必甚。其實大不然。詞之好處在於調多體多，可以自由選擇。工調者，相題而擇調，並無不自由也。人或問：『既欲自由，又何必擇調？』吾答之曰，凡可傳之詞調，皆經名家製定，其音節之諧妙，字句之長短，皆有特長之處。吾輩就已成之美調，略施裁剪，便可得絕妙之音節，又何樂而不爲乎？……

然詞亦有二短：⑴字句終嫌太拘束；⑵只可用以達一層或二層意思，至多不過能達三層意思。曲之作，所以救此兩弊也。有襯字，則字句不嫌太拘，可成套數則可以作長篇。故詞之變為曲，猶詩之變為詞，皆所以求近於語言之自然也。

最自然者，終莫如長短無定之韻文。元人之小詞，即是此類。今日作『詩』（廣義言之）似宜注重此種長短無定之體。然亦不必排斥固有之詩詞曲諸體。要各隨所好，各相題而擇體，可矣。

我再復適之說：——

論塡詞一節，先生最後之結論，也是歸到『長短無定之韻文，』是吾二人對於此事，持論全同，可以不必再辯。惟我之不贊成塡詞，正與先生之主張廢律詩同意，無非因其束縛自由耳。先生謂『工詞者，相題而擇調，並無不自由。』然則工律詩者所作律詩，又何嘗不自然？不過未『工』之時，作律詩勉强對對子，塡詞硬扣字數，硬塡平仄，實在覺得勞苦而無謂耳。總而言之，今後當以『白話詩』爲正體；（此『白話』是廣義的，凡近於語言之自然者皆是。此『詩』，亦是廣義的，凡韻文皆是。）其他古體之詩，詞，曲，偶一爲之，固無不可，然不可以爲韻文正宗也。

關於這個問題，適之和我的意見，實在沒有甚麼不同。近來適之作的人力車夫，一念和老鴉等詩，都用『長短無定』極自然的句調了。

我自己是不會作詩的人，本不配給嘗試集作序。所以寫了這許多的拉雜話；對於適之作白話詩沒有絲毫可以供獻。不過我也算一個主張白話文學的人；現在看見這本嘗試集，歡喜贊歎，莫可名狀，不免把這點淺陋的意見寫將出來，用『拋磚引玉』的辦法，希望適之再把高深的話教我。

一九一八年，一月，十日錢玄同序。

錢　序　一八

自序

我這三年以來做的白話詩若干首，分做兩集，總名爲嘗試集，民國六年九月我到北京以前的詩爲第一集，以後的詩爲第二集。民國五年七月以前，我在美國做的文言詩詞删剩若干首，合爲去國集，印在後面作一個附錄。

我的朋友錢玄同曾替嘗試集做了一篇長序，把應該用白話做文章的道理說得很痛快透切。我現在自己作序，只說我爲什麼要用白話來做詩。這一段故事，可以算是嘗試集產生的歷史，可以算是我個人主張文學革命的小史。

我做白話文字起於民國紀元前六年，（丙午），那時我替上海競業旬報做了半部章回小說，和一些論文，都是用白話做的。到了第二年，（丁未），我因脚氣病，出學堂養病。病中無事，我天天讀古詩，從蘇武李陵直到元好問，單讀古體詩，不讀律詩。那一年我也做了幾篇詩，內中有一篇五百六十字的遊萬國賽珍會，和一篇近三百字的棄父行；以後我常常做詩，到我往美國時，已做了兩百多首詩了。我先前不做律詩，因爲我少時不曾學對對子，心裏總覺得律詩難做。後來偶然做了一些律詩，覺得律詩原來是最容易做的玩意兒，用來做應酬朋友的詩，再方便也沒有了。我初做詩，人都說我像白居易一派。後來我因爲要學時髦，也做一番研究杜甫的工夫。但是我讀杜詩，只讀石壕吏，自京赴奉先詠懷一類的詩，律詩中五律我極愛讀，七律中最討厭秋興一類的詩，常說這些詩文法不通，只有一點空架子。

自民國前六七年到民國前二年（庚戌），可算是一個時代。這個時代已有不滿意於當時舊文學的趨向了。我近來在一本舊筆記裏（名自勝生隨筆，是丁未年記的）翻出這幾條論詩的話：

作詩必使老嫗聽解，固不可。然必使士大夫讀而不能解，亦何故耶？（錄麓堂詩話）

東坡云，『詩須有爲而作。』元遺山云，『縱橫正有淩雲筆，俯仰隨人亦可憐。』（錄南濠詩話）

這兩條都有密圈，也可見我十六歲時論詩的旨趣了。

民國前二年。我往美國留學。初去的兩年作詩不過兩三首，民國成立後，任叔永（鴻雋）楊杏佛（銓）同來綺色佳（Ithaca），有了做詩的伴當了。集中文學篇所說：

明年任與楊，遠道來就我。山城風雪夜，枯坐殊未可。
烹茶更賦詩，有倡還須和。詩爐久灰冷，從此生新火。

都是實在情形。在綺色佳五年，我雖不專治文學，但也頗讀了一些西方文學書籍；無形之中總受了不少的影響，所以我那幾年的詩，胆子已大得多。去國集裏的耶穌誕節歌和久雪後大風作歌都帶有試驗意味。後來做自殺篇，完全用分段作法，試驗的態度更顯明了。藏暉室劄記第三冊有跋自殺篇一段說：

……吾國作詩每不重言外之意，故說理之作極少。求一樸蒲（Pope）已不可多得，何况華茨活（Wordsworth）貴推（Goethe）與白朗吟(Browning)矣。此篇以吾所持樂觀主義入詩。全篇爲說理之作，雖不能佳，然途徑具在。他日多作之，或有進境耳。　（民國三年七月七日）

又跋云：

吾近來作詩，頗能不依人蹊徑，亦不專學一家。命意固無從摹倣，即字句形式亦不爲古人成法所拘，蓋頗能獨立矣。　（七月八日）

民國四年八月，我作一文論『如何可使吾國文言易於教授。』文中列舉方法幾條，還不曾主張用白話代文言。但那時我已明言『文言是半死之文字，不當以教活文字之法教之。』又說：『活文字者日用語言之文字，如英法文是也；如吾國之白話是也。死文字者，如希臘拉丁，非日用之語言，已陳死矣。半死文字者，以其中尚有日用之分子在也。如犬字是已死之字，狗字是活字；乘馬是死語，騎馬是活語：故曰半死文字也。』　（劄記第九冊）

四年九月十七夜，我因爲自己要到紐約進哥倫比亞大學，梅覲莊（光迪）要到康橋進哈佛大學，故作一首長詩送覲莊，詩中有一段說：

梅君梅君毋自鄙！神州文學久枯餒百年未有健者起，新潮之來不可止，文學革命其時矣！吾輩勢不容坐視，且復號召二三子，革命軍前杖馬箠鞭笞驅除一車鬼，再拜迎入新世紀！以此報國未云菲，縮地戡天差可儗。梅君梅君毋自鄙！

原詩共四百二十字；全篇用了十一個外國字的譯音。不料這十一個外國字就惹出了幾年的筆戰！任叔永把這些外國字連綴起來，做了一首游戲詩送我：

牛敦，愛迭孫，培根，客爾文，索虜與霍桑，『烟士披里純』

鞭笞一車鬼，為君生瓊英。文學今革命，作歌送胡生。

我接到這詩在火車上依韻和了一首，寄給叔永諸人：

詩國革命何自始？要須作詩如作文，琢鏤粉飾喪元氣，貌似未必詩之純。

小人行文頗大胆，諸公一一皆人英，願共僇力莫相笑，我輩不作腐儒生。

梅覲莊誤會我『作詩如作文』的意思，寫信來辨論。他說：

……詩文截然兩途。詩之文字與文之文字，自有詩文以來，無論中西，已分道而馳。……

……足下為詩界革命家，改良詩之文字則可；若僅移文之文字於詩，即謂之革命，謂之改良，則不可也。……以其太易易也。

這封信逼我把詩界革命的方法表示出來。我的答書不曾留稿，今鈔答叔永書一段如下：

適以為今日欲救舊文學之弊，先從滌除『文勝』之弊入手。今人之詩徒有鏗鏘之韻，貌似之辭耳。其中實無物可言。其病根在於重形式而去精神，在於以文勝質。詩界革命當從三事入手：第一，須言之有物；第二，須講求文法；第三，當用『文之文字』時，不可故意避之。三者皆以質救文之弊也。……覲莊所論『詩之文字』與『文之文字』之別，亦不盡當。即如白香山詩，『城云臣按六典書，任土貢有不貢無，道州水土所生者，只有矮民無矮奴！』李義山詩，『公之斯文若元氣，先時已入人肝脾。』……此諸例

所用文字，『是詩之文字』乎？抑『文之文字』乎？又如適贈足下詩，『國事今成遍體

瘡，治頭治脚俱所急。』此中字字皆覲莊所謂『文之文字』………可知『詩之文字』原不異『文之文字』，正如詩之文法原不異文之文法也。………（五年二月二日）

『詩之文字』一個問題也是狠重要的問題，因爲有許多人只認風花雪月，蛾眉，朱顏，銀漢，玉容，等字是『詩之文字』，做成的詩讀起來字字是詩！仔細分析起來，一點意思也沒有。所以我主張用樸實無華的白描工夫，如白居易的道州民，如黃庭堅的題蓮華寺，如杜甫的自京赴奉先詠懷。這類的詩，詩味在骨子裏，在質不在文！沒有骨子的濫調詩人決不能做這類的詩。所以我的第一條件便是『言之有物』。因爲注重之點在言中的『物』，故不問所用的文字是詩的文字還是文的文字。覲莊認做『僅移文之文字於詩，』所以錯了。

這一次的爭論是民國四年到五年春間的事。那時影響我個人最大的，就是我平常所說的『歷史的文學進化觀念，』這個觀念是我的文學革命論的基本理論。劄記第十冊有五年

四月五日夜所記一段如下：

文學革命，在吾國史上非創見也。即以韻文而論，三百篇變而爲騷，一大革命也。又變爲五言七言，二大革命也。賦變而爲無韻之駢文，古詩變而爲律詩，三大革命也。詩之變而爲詞，四大革命也。詞之變而爲曲，爲劇本，五大革命也。何獨於吾所持文學革命論而疑之？文亦遭幾許革命矣。自孔子至於秦漢，中國文體始臻完備。六朝之文……亦有可觀者。然其時駢儷之體大盛，文以工巧雕琢見長，文法遂衰。韓退之所以稱「文起八代之衰」者，其功在於恢復散文，講求文法。此一革命也。……宋人談哲理者，深悟古文之不適於用，於是語錄體興焉。語錄體者，禪門所嘗用，以俚語說理紀言。……此亦一大革命也。至元人之小說，此體始臻極盛。……總之，文學革命，至元代而極盛。其時之詞也，曲也，劇本也，小說也，皆第一流之文學，而皆以俚語爲之。其時吾國眞可謂有一種「活文學」出現。儻此革命潮流（革命潮流，即天演進化之迹。自其異者言之，謂之革命；

自其循序漸進之迹言之，卽謂之進化可也。不遵明代八股之切，不遵前後七子復古之刼，則吾國之文學已成俚語的文學；而吾國之語言早成爲言文一致之語言，可無疑也。但丁之創意大利文學，卻叟輩之創英文學，路得之創德文學，未足獨有千古矣。惜乎，五百餘年來，半死之古文，半死之詩詞，復奪此『活文學』之席，而『半死文學』遂苟延殘喘以至於今日。……文學革命何可更緩耶！何可更緩耶！

過了幾天，我塡了一首沁園春詞，題目就叫做『誓詩』，其實是一篇文學革命宣言書：

更不傷春，更不悲秋，以此誓詩。任花開也好，花飛也好，月圓固好，日落何悲！我聞之曰，『從天而頌，孰與制天而用之？』更安用，爲蒼天歌哭，作彼奴爲！　文章革命何疑！且準備搴旗作健兒。要前空千古，下開百世，收他臭腐，還我神奇！爲大中華，造新文學，此業吾曹欲讓誰？詩材料有簇新世界，供我驅馳！　（四月十三日）

這首詞上半所攻擊的是中國文學『無病而呻』的惡習慣。我是主張樂觀，主張進取的人，故極力攻擊這種卑弱的根性。下半首是去國集的尾聲，是嘗試集的先聲。

以下要說發生嘗試集的近因了。

五年七月十二日，任叔永寄我一首泛湖卽事詩。這首詩裏有『言櫂輕楫，以滌煩疴』和『猜謎賭勝，載笑載言』等句，我回他的信說：

……詩中『言櫂輕楫』之言字及『載笑載言』之載字，皆係死字。又如『猜謎賭勝，載笑載言』兩句，上句爲二十世紀之活字，下句爲三千年前之死句，殊不相稱也。

（七月十六日）

不料這幾句話觸怒了一位旁觀的朋友。那時梅覲莊在綺色佳過夏，見了我給叔永的信，他寫信來痛駁我道：

足下所自矜爲文學革命眞諦者，不外乎用『活字』以入文，於叔永詩中稍古之字，皆所不取，以爲非『二十世紀之活字』。……夫文字革新須洗去舊日腔套，務去陳言，固矣。然此非盡屏古人所用之字，而另以俗語白話代之之謂也。……足下以俗語白話爲向來文學上不用之字，驟以入文，似覺新奇而美，實則無永久價值。因其向未經美術家鍛鍊，徒諉諸愚夫愚婦無美術觀念者之口，歷世相傳，愈趨愈下，鄙俚乃不可言。足下得之，乃矜矜自喜，炫爲創獲，異矣。如足下之言，則人間材智，選擇，教育，諸事皆無足算，而村農傖父皆足爲詩人美術家矣。

甚至非洲黑蠻，南洋土人，其言文無分者，最有詩人美術家之資格矣。

至於無所謂『活文學』，亦與足下前此言之。……文字者，世界上最守舊之物也。……

足下乃視改革文字如是之易乎？……

覲莊這封信不但完全誤解我的主張，並且說了一些沒有道理的話，故我做了一首一千多字的白話游戲詩答他。這首詩雖是游戲詩，也有幾段莊重的議論。如第二段說：

文字沒有雅俗，却有死可活道。

古人叫做欲，今人叫做要；
古人叫做至，今人叫做到；
古人叫做溺，今人叫做尿；
本來同是一字，聲音少許變了。
並無雅俗可言，何必紛紛胡鬧。
至於古人叫字，今人叫號；古人懸梁，今人上吊：
古名雖未必不佳，今名又何嘗不妙？
至於古人乘輿，今人坐轎；古人加冠束幘，今人但知戴帽：
若必叫帽作巾，叫轎作輿，豈非張冠李戴，認虎作豹？……

又如第五段說：

今我苦口曉舌，算來卻是爲何？

正要求今日的文學大家，
把那些活潑潑的白話，拿來鍛鍊，拿來琢磨，拿來作文演說作曲作歌：——
出幾個白話的囂俄，和幾個白話的東坡，
那不是『活文學』是什麼？
那不是『活文學』是什麼？

這一段全是後來用白話作實地試驗的意思。

這首白話游戲詩是五年七月二十二日做的，一半是朋友游戲，一半是有意試做白話詩，不料梅任兩位都大不以為然。覲莊來信大罵我，他說：

讀大作如兒時聽蓮花落，真所謂革盡古今中外人之命者。足下誠豪健哉！蓋今之西洋詩界，若足下之張革命旗者，亦數見不鮮。最著者有所謂 Futurism, Imagism, Free Verse, 及各種 decadent movements in Literature and in arts。大約皆足下俗話詩之流亞，皆喜以『前無古人後無來者』自豪；皆喜詭立名字，號召徒衆，以眩世人之耳目，而已則從中得名士頭銜以去焉。……

信尾又有兩段添入的話：

文章體裁不同。小說詞曲固可用白話，詩文則不可。今之歐美狂瀾橫流，所謂『新潮流』，『新潮流』者，耳已聞之熟矣。誠望足下勿剽竊此種不值錢之新潮流以哄國人也。

（七月二十四日）

這封信頗使我不心服，因爲我主張的文學革命，祇是就中國今日文學的現狀立論；和歐美的文學新潮流並沒有關係；有時借鏡於西洋文學史，也不過舉出三四百年前歐洲各國產生『國語的文學』的歷史，因爲中國今日國語文學的需要很像歐洲當日的情形，我們研究他們的成績，也許使我們減少一點守舊性，增添一點勇氣。覲莊硬派我一個『剽竊此種不值錢之新流潮以哄國人』的罪名，我如何能心服呢？

叔永來信說：

足下此次試驗之結果，乃完全失敗是也。……要之，白話自有白話用處（如作小說演說等），然不能用之於詩。如凡白話皆可爲詩，則吾國之京調高腔何一非詩？……烏乎適之！吾人今日言文學革命，乃誠見今日文學有不可不改革之處，非特文言白話之爭而已。吾嘗默省吾國今日文學界，卽以詩論，其老者，如鄭蘇龕陳伯嚴輩，其人頭腦已死，只可讓其與古人同朽腐。其幼者，如南社一流人，淫濫委瑣，亦去文學千里而遙。覩國內，如吾儕欲以文學自命者，舍自倡一種高美芳潔之文學，更無吾儕廁身之地。以足下高才有爲，何爲舍大道不由，而必旁逸斜出，植美卉於荊棘之中哉？……唯以此（白話）作詩，則僕期期以爲不可。……今且假令足下之文學革命成功，將令吾國作詩者皆高腔京調，而陶謝李杜之流將永不復見於神州，則足下之功又何若哉？……

……（七月二十四夜）

覲莊說，『小說詞曲固可用白話，詩文則不可。』叔永說，『白話自有白話用處，（如作小說演說等，）然不能用之於詩。』這是我最不承認的。我答叔永信中說：

……白話入詩，古人用之者多矣。（此下舉放翁詩及山谷稼軒詞爲例。）……總之，白話之能不能作詩，此一問題全待吾輩解決。解決之法，不在乞憐古人，謂古之所無，今必不可有；而在吾輩實地試驗。一次『完全失敗』，何妨再來？若一次失敗，便『期期以爲不可，』此豈科學的精神所許乎？

這一段乃是我的『文學的實驗主義。』我三年來所做的文學事業只不過是實行這個主義。

答叔永書很長，我且再鈔一段：

……今且用足下之字句以述吾夢想中之文學革命曰：

(1)文學革命的手段，要令國中之陶謝李杜敢用白話京調高腔作詩；要令國中之陶謝李杜皆能用白話京調高腔作詩。

(2)文學革命的目的要令白話京調高腔之中產出幾許陶謝李杜。

(3)今日決用不着『陶謝李杜的』陶謝李杜。若陶謝李杜生於今日仍作陶謝李杜當日之詩，則決不能更有當日的價值與影響。何也?時代不同也。

(4)吾輩生於今日，與其作不能行遠不能普及的五經兩漢六朝八家文字，不如作家喻戶曉的水滸西遊文字。與其作似陶似謝似李似杜的詩不如作不似陶謝不似李杜的白話詩。與其作一個學這個學那個的鄭蘇盦陳伯嚴，不如作一個實地試驗，『旁逸斜出』『舍大道而弗由』的胡適之。

……吾志決矣，吾自此以後，不更作文言詩詞。……(七月二十六日)

這是第一次宣言不做文言詩詞。過了幾天，我再答叔永道：

……古人說，『工欲善其事，必先利其器。』文字者，文學之器也。我私心以為文言決不足為吾國將來文學之利器。施耐菴曹雪芹諸人已實地證明作小說之利器在於白話。今尚需人實地試驗白話是否可爲韻文之利器耳。……我自信頗能用白話作散文，但尚未能用之於韻文。私心頗欲以數年之力實地練習之。倘數年之後，竟能用文言白話作文作詩無不隨心所欲，豈非一大快事？我此時練習白話韻文，頗似新闢一文學殖民地。可惜須單身匹馬而往，不能多得同志結伴同行。然吾去志已決。公等假我數年之期。倘此新國盡是沙磧不毛之地，則我或終歸老於『文言詩國』亦未可知。儻幸而有成，則闢除荊棘之後，當開放門戶迎公等同來蒞止耳！『狂言人道臣當烹。我自不吐定不快人言未足爲重輕。』足下定笑我狂耳。……（八月四日）

這時我已開始作白話詩。詩還不曾做得幾首，詩集的名字已定下了；那時我想起陸游有一句詩：『嘗試成功自古無』我覺得這個意思恰和我的實驗主義反對，故用『嘗試』兩字作我的白話詩集的名字，要看『嘗試』究竟是否可以成功。那時我已打定主意，努力做白話詩的試驗；心裏只有一點痛苦，就是同志太少了，『須單身匹馬而往，』我平時所最敬愛的一班朋友都不肯和我同去探險。但是我若沒有這一班朋友和我打筆墨官司，我也決不會有這樣的嘗試決心。莊子說得好：『彼出於是，是亦因彼。』我至今回想當時和那班朋友一日一郵片，三日一長函的樂趣，覺得那真是人生最不容易有的幸福。我對於文學革命的一切見解，所以能結晶成一種有系統的主張，全都是同這一班朋友切磋討論的結果。五年八月十九日我寫信答朱經農（經），中有一段說：

新文學之要點，約有八事：

（一）不用典，

（二）不用陳套語，

（三）不講對仗，

（四）不避俗字俗話，

（五）須講求文法。　以上為形式的一方面。

（六）不作無病之呻吟，

（七）不摹倣古人須語語有個我在，

（八）須言之有物。　以上爲精神（內容）的一方面。

這八條，後來成爲一篇文學改良芻議（新青年第二卷第五號六年一月一日出版，）卽此一端，便可見朋友討論的益處了。

我的嘗試集起於民國五年七月，到民國六年九月我到北京時已成一小冊子了。這一年之中，白話詩的試驗室裏只有我一個人。因爲沒有積極的幫助，故這一年的詩，無論怎樣大胆，終不能跳出舊詩的範圍。

我初囘國時，我的朋友錢玄同說我的詩詞『未能脫盡文言窠臼，』又說『嫌太文了！』美洲的朋友嫌『太俗』的詩，北京的朋友嫌『太文』了！這話我初聽了很覺得奇怪。後來平心一想，這話眞是不錯。我在美洲做的嘗試集，實在不過是能勉強實行了文學改良芻議裏面的八個條件實在不過是一些刷洗過的舊詩！這些詩的大缺點就是仍舊用五言七言的句法。句法太整齊了，就不合語言的自然，不能不有截長補短的毛病，不能不時時犧牲白話的字和白話的文法，來牽就五七言的句法。音節一層，也受狠大的影響：第一，整齊劃一的音節沒有變化，實在無味；第二，沒有自然的音節，不能跟着詩料隨時變化。因此，我到北京以後所做的詩，認定一個主義：若要做眞正的白話詩，若要充分採用白話的字，白話的文法，和白話的自然音節，非做長短不一的白話詩不可。這種主張，可叫做『詩體的大解放。』詩體的大解放就是把從前一切束縛自由的枷鎖鐐銬，一切打破：有什麼話，說什麼話；話怎麼說，就怎麼說。這樣方才可有眞正白話詩，方才可以表現白話的文學可能性。嘗試集第二編中的詩雖不能處處做到這個理想的目的，但大致都想朝着這個目的做去。這是第二集和第一集的不同之處。

以上說嘗試集發生的歷史。現在且說我爲什麼趕緊印行這本白話詩集。我的第一個理由是因爲這一年以來白話散文雖然傳播得狠快狠遠，但是大多數的人對於白話詩仍舊狠懷疑；還有許多人不但懷疑，簡直持反對的態度。因此，我覺得這個時候有一兩種白話韻文的集子出來，也許可以引起一般人的注意，也許可以供贊成和反對的人作一種參考的材料。第二，我實地試驗白話詩已經三年了，我很想把這三年試驗的結果供獻給國內的文人，作爲我的試驗報告。我很盼望有人把我試驗的結果，仔細研究一番，加上平心靜氣的批評，使我也可以知道這種試驗究竟有沒有成績，用的試驗方法，究竟有沒有錯誤。第三，無論試驗的成績如何，我覺得我的嘗試集至少有一件事可以供獻給大家的。這一件可供獻的事就是這本詩所代表的『實驗的精神』。我們這一班人的文學革命論所以同別人不同，全在這一點試驗的態度。近來稍稍明白事理的人，都覺得中國文學有改革的必要。即如我的朋友任叔永，他也說：『烏乎！適之！吾人今日言文學革命，乃誠見今日文學有不可不改革之處，非特文言白話之爭而已。』甚至於南社的柳亞子也要高談文學革命。但是他們的文學革命論祇提出一種空蕩蕩的目的，不能有一種具體進行的計畫。他們都說文學革命決不是形式上的革命，決不是文言白話的問題。等到人問他們究竟他們所主張的革命『大道』是什麼，他們可回答不出了。這種沒有具體計畫的革命——無論是政治的是文學的，——決不能發生什麼效果。我們認定文字是文學的基礎，故文學革命的第一步就是文字問題的解決。我們認定『死文字決不能產生活文學』故我們主張若要造一種活的文學，必須用白話來做文學的工具。我們也知道單有白話未必就能造出新文學；我們也知道新文學必須要有新思想做裏子。但是我們認定文學革命須有先後的程序：先要做到文字體裁的大解放，方才可以用來做新思想新精神的運輸品。我們認定白話實在有文學的可能，實在是新文學的唯一利器。但是國內大多數人都不肯承認這話，——他們最不肯承認的，就是白話可作韻文的唯一利器。我們對於這種懷疑，這種反對，沒有別的法子可以對付，只有一個法子，就是科學家的試驗方法。科學家遇着一個未經實地證明的理論，只可認他做一個假設；須等到實地試驗之後方才用試驗的結果來批評那個假設的價值。我們主張白話可以做詩，因爲未經大家承認，只可說是一個假設的理論，我們這三年來，只是想把這個假設用來做種種實地試驗—做五言詩，做七言詩，做嚴格的詞，做極不整齊的長短句；做有韻詩，做無韻詩，做種種音節上的試驗，—要看白話是不是可以做好詩，要看白話詩是不是比文言詩要更好一點。這是我們這班白話詩人的『實驗的精神』。我這本集子裏的詩，不問詩的價值如何，總都可以代表這點實驗的精神。這兩年來，北京有我的朋友沈尹默，劉半農，周豫才，周啓明，傅斯年，俞平伯，康白情，諸位，美國有陳衡哲女士，都努力作白話詩。白話詩的試驗室裏的試驗家漸漸多起來了。但是大多數的文人仍舊不敢輕易『嘗試』。他們永不來嘗試嘗試，如何能判斷白話詩的問題呢？耶穌說得好：『收穫是狠多的，可惜做工的人太少了。』所以我大胆把這本嘗試集印出來，要想把這本集子所代表的『實驗的精神』貢獻給全國的文人，請他們大家都來嘗試嘗試。

我且引我的嘗試篇作這篇長序的結論：

『嘗試成功自古無！』放翁這話未必是。我今爲下一轉語：『自古成功在嘗試！』請看藥嘗百草，嘗了一味又一味。又如名醫試丹藥，何嫌六百零六次？莫想小試便成功，那有這樣容易事！有時試到千百回，始知前功盡拋棄。即使如此已無媿，即此失敗便足記。告人『此路不通行』，可使脚力莫枉費。

我生求師二十年，今得『嘗試』兩個字。作詩做事要如此，雖未能到頗有志。作『嘗試歌』頌吾師，願大家都來嘗試！

八年八月一日。　胡適。

嘗試集

第一編

嘗試篇 有序

陸放翁集裏有一首詩:

能仁院前有石像丈餘,蓋作大像時樣也。

江閣欲開千尺像,雲龕先定此規模。斜陽徙倚空長歎:嘗試成功自古無。

放翁這首詩大概是有所爲而作的,但末一句『嘗試成功自古無』的意思狠容易發生誤會。當日造像的人先造小像,作爲一種『嘗試』。倘使因爲小像成功故千尺的大像也畢竟成功,那豈不是『嘗試』的功效嗎?即使嘗試的結果使人知道大像的不可成，那也是『嘗試』的功效。
天下決沒有不嘗試而能成功的事，也沒有不用嘗試就可預料成敗的事。
古來說大話的人儘多。放翁自己也曾夜夜『夢中奪得松亭關』，日日高談『會與君王掃燕趙。』究竟他眞有這種本領沒有，若沒有嘗試，誰能知道呢？還不是一些紙上的大話嗎？

我因爲不承認放翁這句話，故用『嘗試』兩字做我的白話詩集的名字，又作這詩，表示我的態度。

『嘗試成功自古無！』放翁這話
未必是。我今為下一轉語：自古成
功在嘗試！請看藥聖嘗百草，嘗了
一味又一味。又如名醫試丹藥，何
嫌六百零六次？莫想小試便成功，
那有這樣容易事！有時試到千百
回，始知前功盡拋棄。即使如此已
無媿，即此失敗便足記。告人此路
不通行，可使腳力莫枉費。

我生求師二十年，今得『嘗試』
兩個字。作詩做事要如此，雖未能
到頗有志。作『嘗試歌』頌吾師，
願大家都來嘗試！

五年九月三日。

孔丘

子路宿於石門。晨門曰，『奚自？』曰，『自孔氏。』曰，『是知其不可而爲之者歟？』

葉公問孔子於子路，子路不對。子曰，『女奚不曰，其爲人也，發憤忘食，樂以忘憂，不知老之將至云爾？』

這兩段最可以寫孔丘的爲人。

『知其不可而爲之，』亦『不知老之將至。』

認得這個眞孔丘，

一部論語都可廢。

五年七月二十九日。

蝴蝶

兩個黃蝴蝶，雙雙飛上天。
不知爲什麽，一個忽飛還。
剩下那一個，孤單怪可憐；
也無心上天，天上太孤單。

五年八月二十三日。

贈朱經農

經農自美京來訪余於紐約，暢談極歡。三日之留，忽忽遂盡。別後終日不樂，作此寄之。

六年你我不相見，見時在赫貞江邊；握手一笑不須說：你我於今更少年。

回頭你我年老時，粉條黑板作講師；更有暮氣大可笑，喜作喪氣頹唐詩。

那時我更不長進，往往喝酒不顧命；有時儘日醉不醒，明朝醒來害酒病。

一日大醉幾乎死，醒來忽然怪自己：父母生我該有用，似此眞不成事體。

從此不敢大糊塗，六年海外頗讀書。幸能勉強不喝酒，未可全斷淡巴菰。

年來意氣更奇橫，不消使酒稱狂生。頭髮偶有一莖白，年紀反覺十歲輕。

舊事三天說不全，且喜皇帝不姓袁，更喜你我都少年。『辟克匿克』來江邊，赫貞江水平可憐，樹

下石上好作筵，黃油麵包頗新鮮，
家鄉茶葉不費錢，吃飽喝脹活神仙，唱個『蝴蝶兒上天！』

五年八月三十一日

（註）西人攜食物出遊，即於野外聚食之，謂之『辟克匿克』（Picnic）。

他

思祖國也。

你心裏愛他，莫說不愛他。
要看你愛他，且等人害他。
倘有人害他，你如何對他？
倘有人愛他，更如何待他？

五年九月六日。

中秋

九月十一夜，爲舊歷八月十五夜。

小星躲盡大星少，果然今夜清光多！夜半月從江上過，一江江水變銀河。

虞美人 有序

朱經農來書云：『昨得家書，語短而意長；雖有白字，頗極纏綿之致。晨間復得一夢。於枕上成兩詞，錄呈適之，以博一笑。』經農去國纔四五月，其詞已有『傳箋寄語，莫說歸期誤』之句。於此可以窺見家書中之大意也。因作此戲之。

先生幾日魂顛倒，他的書來了！雖然紙短却情長，帶上兩三白字又何妨？　可憐一對癡兒女，不慣分離苦；別來還沒幾多時，早已書來細問幾時歸！

五年九月十二日。

江上

十一月一日大霧，追思夏間一景，因成此詩。

雨脚渡江來，
山頭銜霧出。
雨過霧亦收，
江樓看落日。

黃克強先生哀辭

當年曾見將軍之家書，
字跡娟逸似大蘇。
書中之言竟何如？
『一歐愛兒努力殺賊』——
八個大字，
讀之使人慷慨奮發而愛國。
嗚呼將軍，何可多得！

五年十一月九日。

十二月五夜月

明月照我牀，臥看不肯睡。窗上
青藤影，隨風舞娟媚。
我愛明月光，更不想什麼月可
使人愁，定不能愁我。
月冷寒江靜，心頭百念消。欲眠
君照我，無夢到明朝！

沁園春

五年十二月十七日，是我二十五歲的生日。獨坐江樓，回想這幾年思想的變遷，又念不久即當歸去，因作此詞，並非自壽，只可算是一種自誓。

棄我去者，二十五年，不可重來。看江明雪霽，吾當壽我，且須高咏，不用啣杯。種種從前，都成今我，莫更思量更莫哀。從今後，要那麼收果，先那麼栽。 忽然異想天開，似天上諸仙采藥回。有丹能却老，鞭能縮地，芝能點石，觸處金堆。我笑諸仙，諸仙笑我。敬謝諸仙我不才，葫蘆裏，也有些微物，試與君猜。

病中得冬秀書

一

病中得他書，不滿八行紙，全無
要緊話，頗使我歡喜。

二

我不認得他，他不認得我，我總
常念他，這是爲什麼？
豈不因我們，分定長相親，由分
生情意，所以非路人？

海外『土生子』，生不識故里，
終有故鄉情，其理亦如此。

三

豈不愛自由？此意無人曉：情願
不自由，也是自由了。

六年一月十六日。

論詩雜記

一

『從天而頌之，孰與制天命而用之？』我愛荀卿天論賦，每作倍根語誦之。

二

『黃昏到寺蝙蝠飛，……芭蕉葉大梔子肥。』此是退之絕妙語，何須『塗改清廟生民詩？』

三

『學杜眞可亂楮葉，』便令如此又怎麼？可憐『終歲禿千毫，』學像他人忘却我！

六年一月二十夜。

寒江

江上還飛雪，
遙山霧未開。
浮冰三百畝，
載雪下江來。

六年一月二十五夜。

（註）畝字楊杏佛所改。原作丈，不如畝字遠矣。

『赫貞旦』答叔永

叔永昨以五言長詩寄我，有『已見赫貞夕，未見赫貞旦。何當侵辰去，起君從枕畔』之句。作此報之。

『赫貞旦』如何？聽我告訴你。昨日我起時，東方日初起，返照到天西，彩霞美無比。赫貞平似鏡，紅雲滿江底。江西山低小，倒影入江紫。朝霞漸散了，纔有青天好。江中水更藍，要與天爭姣。休說海鷗閒，水凍捉魚難，日日寒江上，飛去又飛還。何如我閒散，開窗面江岸，清茶勝似酒，麵包充早飯。老任倘能來，和你分一半。更可同作詩，重咏『赫貞旦』。

六年二月十九日。

生查子

前度月來時，仔細思量過。今度月重來，獨自臨江坐。　風打沒遮樓，月照無眠我。從來沒見他，夢也如何做？

六年三月六日。

景不徙篇

墨經云，『景不徙，說在改為。』說曰，『景。光至景亡。若在，盡古息。』莊子天下篇云，『飛鳥之影未嘗動也。』此言影已改為而後影已非前影。前影雖不可見而實未嘗動移也。

飛鳥過江來，投影在江水。鳥逝水長流，此影何嘗徙？

風過鏡平湖，湖面生輕縐。湖更鏡平時，畢竟難如舊。

為他起一念，十年終不改。有召卽重來，若亡而實在。

六年三月六日。

沁園春

俄京革命時，報記其事，有云，『俄京之大學生雜衆兵中巷戰，其蘤帽烏衣，易識別也』。吾讀而喜之，因撫其語作沁園春詞，僅成半闋，而意已盡，遂棄置之，謂且俟柏林革命時再作下半闋耳。後讀報記俄政府大赦黨犯，其自西伯利亞召歸者，蓋十萬人云。夫放逐囚拘十萬男女志士於西伯利亞，此俄之所以不振而『沙』之所以終倒也。然愛自由謀革命者乃至十萬人之多，囚拘流徙，挫辱慘殺而無悔，此革命之所以終成，而新俄之

嘗試集

前途所以正未可量也。遂續成前詞以頌之，不更待柏林之革命消息矣，

客子何思？凍雪層冰，北國名都。想烏衣藍帽，軒昂年少，指揮殺賊，萬衆讙呼。去獨夫『沙』，張自由幟，此意於今果不虛。論代價，有百年文字，多少頭顱。　冰天十萬囚徒，

一八

一萬里飛來大赦書。本爲自由來，今同他去；與民賊戰，畢竟誰輸！拍手高歌，『新俄萬歲！』狂態君休笑老胡。從今後，看這般快事，後起誰歟？

六年四月十七夜。

朋友篇　寄怡蓀經農

將歸詩之一

粗飯還可飽，破衣不算醜。人生無好友，如身無足手。吾生所交遊，益我皆最厚。少年恨污俗，反與污俗偶。自視六尺軀，不值一杯酒。倘非朋友力，吾醉死已久。從此謝諸友，立身重抖擻。去國今七年，此意未敢負。新交遍天下，難細數誰某。所最敬愛者，也有七八九。學理互分剖，過失賴彈糾。清夜每自思，此身非吾有：一半屬父母，一半屬朋友。便即此一念，足鞭策吾後。今當重歸來，為國效奔走。可憐程（樂亭）鄭（仲誠）張，（希古）少年骨已朽。作歌謝吾友，泉下人知否？

六年六月一日。

文學篇

將歸詩之二

吾將歸國，叔永作詩贈別。有『君歸何人勸我詩，』之句。因念吾數年來之文學的興趣，多出於吾友之助。若無叔永杏佛，定無去國集。若無叔永觀莊，定無嘗試集。感此作詩別叔永，杏佛，觀莊。

我初來此邦，所志在耕種。文章眞小技，救國不中用。帶來千卷書，一一盡分送。種菜與種樹，往往來入夢。

忽忽復幾時，忽大笑吾癡。救國千萬事，何事不當爲？而吾性所適，僅有一二宜。逆天而拂性，所得終希微。
從此改所業，講學復議政。故國方新造，紛爭久未定；學以濟時艱，要與時相應。文章盛世事，今日何消問？
明年任與楊，遠道來就我。山城風雪夜，枯坐殊未可。烹茶更賦詩，有倡還須和。詩爐久灰冷，從此生新火。

前年任與梅，聯盟成勁敵。與我論文學，經歲猶未歇。吾敵雖未降，吾志乃更決。暫不與君辯，且著嘗試集。
回首四年來，積詩可百首。做詩的興味，大半靠朋友。佳句共欣賞，論難見忠厚。如今遠別去，此樂難再有。
暫別不須悲。諸君會當歸。請與

諸君期明年荷花時，春申江之湄。有酒盈清卮，無客不能詩，同作歸來辭！

六年六月一日。

（註）吾初至美國，習農學一年半，後改入文科，習政治經濟，兼治文學哲學，最後乃專治哲學。

百字令

六年七月三夜，太平洋舟中見月有懷。

幾天風霧，險些兒把月圓時孤負。
待得他來，又還被如許浮雲遮住！
多謝天風，吹開明月，萬頃銀波怒！
孤舟載月，海天衝浪西去。 念我
多少故人，如今都在明月飛來處。

別後相思如此月，繞遍地球無數。
幾顆疎星長天空闊，有涇衣涼露。
低頭自語：『吾鄉眞在何許？』

嘗試集

二四

嘗試集

第二編

一念

我笑你繞太陽的地球，一日夜只打得一個回旋；
我笑你繞地球的月亮，總不會永遠團圓；
我笑你千千萬萬大大小小的星球，總跳不出自己的軌道線；
我笑你一秒鐘行五十萬里的無線電，總比不上我區區的心頭
一念

我這心頭一念：
纔從竹竿巷，忽到竹竿尖；
忽在赫貞江上，忽在凱約湖邊；
我若真個害刻骨的相思，便一分鐘繞遍地球三千萬轉！

（註）竹竿巷，是我住的巷名。
竹竿尖，是吾村後山名。

鴿子

雲淡高天，好一片晚秋天氣！
有一羣鴿子，在空中遊戲。
看他們三三兩兩，
　迴環來往，
　夷猶如意，——
忽地裏，翻身映日，白羽襯青天，鮮
　明無比！

人力車夫

警察法令，十八歲以下，五
　十歲以上，皆不得爲人力
　車夫。

『車子！車子！』車來如飛。
客看車夫，忽然中心酸悲。
客問車夫，『你今年幾歲？拉車拉
　了多少時？』

車夫答客，『今年十六，拉過三年
　車了，你老別多疑，』
客告車夫，『你年紀太小，我不坐
　你車。我坐你車，我心慘悽。』
車夫告客，『我半日沒有生意，我
　又寒又飢。
你老的好心腸，飽不了我的餓肚
　皮，
我年紀小拉車，警察還不管，你老
　又是誰？』……

六年十一月九夜。

老鴉

一

我大清早起，
站在人家屋角上啞啞的啼。
人家討嫌我，說我不吉利：——
我不能呢呢喃喃討人家的歡喜！

二

天寒風緊，無枝可棲。
我整日裏飛去飛回，整日裏又寒又飢。——
我不能帶着鞘兒，翁翁央央的替人家飛；
也不能叫人家繫在竹竿頭，賺一把黃小米！

上溪路上大雪裏一個紅葉

雪色滿空山，擡頭忽見你！
我不知何故，心裏狠歡喜；
踏雪摘下來，夾在小書裏；
還想做首詩，寫我歡喜的道理。
不料此理狠難寫，抽出筆來還擱起。

六年十二月二十二日。

新婚雜詩

一

十三年沒見面的相思，於今完結。
把一樁樁傷心舊事，從頭細說。
你莫說你對不住我，
我也不說我對不住你，——
且牢牢記取這十二月三十夜的
中天明月。

二

回首十四年前，
初春冷雨，
中郁簫鼓，
有個人來看女壻。
匆匆別後，便輕將愛女相許。
只恨我十年作客，歸來遲暮，
到如今，待雙雙登堂拜母，
只剩得荒草孤墳，斜陽淒楚！
最傷心不堪重聽，燈前人訴，阿母臨終語！

三

與新婦同至江村，歸途在楊桃嶺上望江村，廟首諸村，及其北諸山。

重山疊嶂，
都似一重重奔濤東向！
山腳下幾個村鄉，

一百年來多少興亡，不堪回想！——
更不須回想！
想十萬萬年前，這多少山頭，都不
過是大海裏一些兒微波暗浪！

四

吾訂婚江氏，在甲辰年。戊
中之秋，兩家皆準備婚嫁，
吾力阻之，始不果行。然此
次所用嫁粧，猶多十年舊
物。吾本不欲用爆竹，後以
其爲 吾母十年前所備，
不忍不用之。

記得那年，你家辦了嫁粧，我家備
了新房，只不曾捉到我這個新
郎！
這十年來，換了幾朝帝王，看了多
少興亡，

繡了你嫁奩中的刀剪，改了你多
少嫁衣新樣，
更老了你和我人兒一雙！——
只有那十年陳的爆竹，越陳偏越
響！

五

十幾年的相思剛才完結，
沒滿月的夫妻又匆匆分別。
昨夜燈前絮語，全不管天上月圓

月缺。
今宵別後，便覺得這窗前明月，格
外清圓，格外親切！
你該笑我飽嘗了作客情懷，別離
滋味，還逃不了這個時節！

七年一月。

老洛伯 "Auld Robin Gray"

著者爲蘇格蘭女詩人Anne Lindsay夫人（1750-1825）。夫人少年時卽以文學見稱於哀丁堡。初嫁Andrew Barnard，夫死，再嫁James Bland Burges。當代文人如Burke及Sheridan皆與爲友。Scott尤敬禮之。

此詩爲夫人二十一歲時所作，匿名刊行。詩出之後，風行全國，終莫知著者爲誰也。後五十二年，Scott於所著小說中偶言及之，而夫人已老，後二年，死矣。

此詩向推爲世界情詩之最哀者。全篇作村婦口氣，

語語率眞，此當日之白話
詩也。

一

羊兒在欄，牛兒在家，
靜悄悄地黑夜，
我的好人兒早在我身邊睡了，
我的心頭寃苦，都迸作淚如雨下。

二

我的吉梅他愛我，要我嫁他。
他那時只有一塊銀圓，別無什麼；
他爲了我渡海去做活，
要把銀子變成金，好回來娶我。

三

他去了沒半月，便跌壞了我的爹
爹，病倒了我的媽媽；
剩了一頭牛，又被人偸去了。
我的吉梅他只是不回家！

那時老洛伯便來纏着我，要我嫁他。

四

我爹爹不能做活，我媽他又不能紡紗，
我日夜裏忙着，如何養得活這一家？
多虧得老洛伯時常幫襯我爹媽，
他說，『錦妮，你看他兩口兒分上，嫁了我罷。』

五

我那時回絕了他，我只望吉梅回來討我。
又誰知海裏起了大風波，——
人都說我的吉梅他翻船死了！
只拋下我這苦命的人兒一個！

六

我爹爹再三勸我嫁；

我媽不說話，他只眼睜睜地望着
我，
望得我心裏好不難過！
我的心兒早已在那大海裏，
我只得由他們嫁了我的身子！

七

我嫁了還沒多少日子，
那天正孤孤悽悽地坐在大門裏，
擡頭忽看見吉梅的鬼！——
却原來眞是他，他說，『錦妮，我如
今回來討你。』
我兩人哭着說了許多言語，
我讓他親了一個嘴，便打發他走
路。
我恨不得立刻死了，——只是如
何死得下去！
天呵！我如何這般命苦！

九

我如今坐也坐不下，那有心腸紡紗？

我又不敢想着他：

想着他須是一樁罪過。

我只得努力做一個好家婆，

我家老洛伯他並不曾待差了我。

七年三月一夜譯。

AULD ROBIN GRAY

When the sheep are in the fauld, and
the kye at hame,
An a' the world to rest are gane,
The waes o' my heart fa' in showers
frae my e' e,
While my gudeman lies sound by me.

Young Jamie lo' ed me weel, and sought
me for his bride;
But saving a croun he had naething
else beside;
To make the croun a pund, young Jamie
gaed to sea;
And the croun and the pund were baith
for me.

He hadna been awa' a week but
only twa,
When my father brak his arm, and
the cow was stown awa;
My mother she fell sick, and my
Jamie at the sea—
And auld Robin Gray came a-courtin'
me.

My father couldna work, and my
mother couldna spin;
I toil'd day and night, but their
bread I couldna win;
Auld Rob maintain'd them baith,
and wi' tears in his e'e
Said, Jennie, for their sakes,
O, marry me!

My heart it said nay; I look'd for
Jamie back;
But the wind it blew high, and
the ship it was a wreck;
His ship it was a wreck—why
didna Jamie dee?
Or why do I live to cry, Wae's
me?

My father urgit sair: my mother
didna speak;
But she look'd in my face till
my heart was like to break;
They gi'ed him my hand, but my
heart was at the sea;
Sae auld Robin Gray he was gude-
man to me.

I hadna been a wife a week but
only four,
When mournfu' as I sat on the
stane at the door,
I saw my Jamie's wraith, for I
couldna think it he
Till he said, I' m come hame to
marry thee.

O sair, sair did we greet, and
muckle did we say;
We took but ae kiss, and I bad
him gang away;
I wish that I were dead, but I' m
no like to dee;
And why was I born to say,
Wae' s me?

I gang like a ghaist, and I carena
to spin;
I daurna think on Jamie, for that
wad be a sin;
But I' ll do my best a gude wife
aye to be,
For auld Robin Gray he is kind
unto me.

Lady A. Lindsay

四月二十五夜

吹了燈兒,捲開窗幕,放進月光滿地。
對着這般月色,教我要睡也如何睡!
我待要起來遮着窗兒,推出月光,又覺得有點對他月亮兒不起。
我終日裏講王充,仲長統,阿里士多德,愛比苦拉斯,……幾乎全忘了我自己!
多謝你殷勤好月,提起我過來哀怨,過來情思。
我就千思萬想,直到月落天明,也甘心願意!
怕明朝,雲密遮天,風狂打屋,何處能尋你!

看花

院子裏開着兩朶玉蘭花，三朶月
季花；
紅的花，紫的花，襯着綠葉，映着日
光，怪可愛的。
沒人看花，花還是可愛；但有我看
花，花也好像更高興了。
我不看花，也不怎麼；但我看花時，
我也更高興了。
還是我因爲見了花高興，故覺得
花也高興呢？
還是因爲花見了我高興，故我也
高興呢？——
人生在世，須使可愛的見了我更
可愛；須使我見了可愛的我也
更可愛！

七年五月。

你莫忘記

此詩初作於六月二十八日。當時我覺得這詩太露了，不値得留稿。近來越多看報，越覺得這詩有點道理。前天收到太平洋第十期，看了這裏面『刼餘生』一封通信，更覺得我這首詩有保存的資格了。因此我把他重新修改了一番，做成此稿。

你莫忘記：
這是我們國家的大兵，
逼死了三姨，逼死了阿馨，
逼死了你妻子，鎗斃了高升！……
你莫忘記：
是誰砍掉你的手指，

是誰把你老子打成這個樣子！

是誰燒了這一村，……

噯喲！……火就要燒到這裏，——

你跑罷！莫要同我一齊死！……

回來！……

你莫忘記：

你老子臨死時只指望快快亡

國：

亡給『哥薩克，』亡給『普魯士』——

都可以，——

總該不至——如此！……

七年八月二十三夜。

如夢令

去年八月作如夢令兩首：

一

他把門兒深掩，不肯出來相見。難道不關情？怕是因情生怨。休怨！休怨！他日憑君發遣。

二

幾次曾看小像，幾次傳書來往，見見又何妨！休做女孩兒相。凝想，凝想，想是這般模樣！

今年八月與冬秀在京寓夜話，忽憶一年前舊事，遂和前詞，成此闋。

天上風吹雲破，
月照我們兩個。

問你去年時，
爲甚閉門深躲？
『誰躲？誰躲？
那是去年的我！』

十二月一日奔喪到家

往日歸來，纔望見竹竿尖，纔望見吾村，
便心頭亂跳，遙知前面，老親望我，含淚相迎。
『來了？好呀！』——更無別話，說盡心頭歡喜悲酸無限情。
偷回首，揩乾淚眼，招呼茶飯，款待歸人。

今朝，——
依舊竹竿尖，依舊溪橋，——
只少了我的心頭狂跳！——
何消說一世的深恩未報！
何消說十年來的家庭夢想都一一雲散烟銷！——
只今日到家時更何處能尋他那一聲『好呀，來了！』

關不住了！（譯詩）

我說『我把心收起，
　像人家把門關了，
叫愛情生生的餓死，
　也許不再和我爲難了。』
但是屋頂上吹來，
　一陣陣五月的濕風，
更有那街心琴調

一陣陣的吹到房中。

一屋裏都是太陽光，
這時候愛情有點醉了，
他說，『我是關不住的，
我要把你的心打碎了!』

八年二月二十六日譯美國新詩人 Sara Teasdale 的 Over the Roofs

OVER THE ROOFS

I said, "I have shut my heart,
As one shuts an open door,
That Love may starve therein
And trouble me no more".

But over the roofs there came
The wet new wind of May,
And a tune blew up from the curb
where the street-pianos play.

My room was white with the sun
And Love cried out in me,
"I am strong, I will break your heart
Unless you set me free".

Sara Teasdale.

希望（譯詩）

要是天公換了卿和我，
該把這糊塗世界一齊都打破，
要再磨再煉再調和，
好依着你我的安排，把世界重新造過！

八年二月二十八日譯英人 Fitzgerald 所譯波斯詩人 Omar Khayyam (d. 1123 A.D.) 的 Rubaiyat（絕句）詩第一百零八首。

OMAR'S 108TH RUBAIYAT

Ah! Love, could you and I with Him conspire
To grasp this Sorry Scheme of Things entire,
Would not we shatter it to bits—and then
Remould it nearer to the Heart's Desire!

「應該」

我的朋友倪曼陀死後，於今五六年了。今年他的姊妹把他的詩文鈔了一份寄來，要我替他編訂。曼陀的詩本來是我喜歡讀的。內中有奈何歌二十首，都是哀情詩，情節狠悽慘，我從前竟不曾見過。昨夜細讀幾遍，覺得曼陀的眞情有時被詞藻遮住，不能明白流露。因此，我把這裏面的第十五，十六兩首的意思合起來，做成一首白話詩。曼陀少年早死，他的朋友都痛惜他。我當時聽說他是吐血死的，現在讀他的未刻詩詞，才知道他是

為了一種狠為難的愛情
境地死的。我這首詩也可
以算是表章哀情的微意
了。
八年三月二十日。

他也許愛我，——也許還愛我，——
但他總勸我莫再愛他。
他常常怪我；
這一天，他眼淚汪汪的望着我，

說道：『你如何還想着我？
想着我，你又如何能對他？
你要是當眞愛我，
你應該把愛我的心愛他，
你應該把待我的情待他。』
他的話句句都不錯：——
上帝帮我！
我『應該』這樣做！

送叔永回四川

叔永走時，我曾許他送行詩。後來我的詩沒有做成，他已在上海上了船。不料那隻船開出吳淞，忽然船底壞了，只好開進船廠修理。他寫信告訴我，說還要住幾天。我的詩可不能不做了。遂做成這首詩，寄到漢陽杏佛處等他。

一

你還記得綺色佳城，我們的『第
二故鄉』：
山前山後，多少清奇瀑布，
更添上遠遠的一線湖光；
瀑溪的秋色，西山的落日，
還有那到枕的湍聲，夜夜像雨打

秋林一樣？

二

你還記得
我們暫別又相逢，正是赫貞春好？
記得江樓同遠眺，雲影渡江來，驚
　起江頭鷗鳥？
記得江邊石上，同坐看潮回，浪聲
　遮斷人笑？
記得那回同訪友，日冷風橫，林裏
　陪他聽松嘯？

三

這回久別再相逢，便又送你歸去，
　未免太匆匆！
多虧得天意多留你兩日，使我做
　得詩成相送。
萬一這首詩趕得上遠行人，
多替我說聲『老任珍重珍重！』

八年四月十八日。

一顆星兒

我喜歡你這顆頂大的星兒，
可惜我叫不出你的名字。
平日月明時，月光遮盡了滿天星，
總不能遮住你。
今天風雨後，悶沉沉的天氣，
我望遍天邊，尋不見一點半點光明，
回轉頭來，
只有你在那楊柳高頭依舊亮晶晶地。

八年四月二十五夜。

威權

威權坐在山頂上，
指揮一班鐵索鎖着的奴隸替他
　開礦。
他說：『你們誰敢倔强？
我要把你們怎麼樣就怎麼樣！』
奴隸們做了一萬年的工，
頭頸上的鐵索漸漸的磨斷了。

他們說：『等到鐵索斷時，
　我們要造反了！』
奴隸們同心合力，
一鋤一鋤的掘到山脚底。
山脚底挖空了，
威權倒撞下來，活活的跌死！

八年六月十一夜。

小詩

也想不相思，
　可免相思苦。
幾次細思量，
　情願相思苦！

有一天我在張慰慈的扇子上，寫了兩句話：『愛情的代價是痛苦，愛情的方法是要忍得住痛苦。』陳獨秀引我這兩句話，做了一條隨感錄，（每週評論二十五號）加上一句按語道：『我看不但愛情如此，愛國愛公理也都如此。』這條隨感錄出版後三日，獨秀就被軍警捉去了，至今還不曾出來。我又引他的話，做了一條隨感錄，

（每週評論二十八號。）

後來我又想這個意思可以入詩，遂用生查子詞調，做了這首小詩。

八年六月二十八日。

自題藏暉室劄記十五冊彙編

從前有怡蓀愛你們，
把你們殷勤收起，深深藏好。
於今怡蓀死了，誰還這樣看待你們？
我怕你們拆散了，故叫釘書的把你們裝好。

你們不是我一個人做的。
因爲怡蓀愛看你們，誇奬你們，
故你們是我爲怡蓀做的，——
是我和怡蓀兩個人做的。
怡蓀死了，你們也停止了。
可憐我的怡蓀死了！
八年七月三十日。

我的兒子

我實在不要兒子，
兒子自己來了。
『無後主義』的招牌，
於今掛不起來了！
譬如樹上開花，
花落偶然結果。
那果便是你，

那樹便是我。
樹本無心結子，
我也無恩於你。

但是你既來了，
我不能不養你教你，
那是我對人道的義務，
並不是待你的恩誼。

將來你長大時，
莫忘了我怎樣教訓兒子：
我要你做一個堂堂的人，
不要你做我的孝順兒子。
八年七月三十日。

樂觀

每週評論於八月三十日
被封禁。國內的報紙狠多
替我們抱不平的。我做這
首詩謝謝他們。

一

『這柯大樹狠可惡，
他礙着我的路！
來！
快把他斫倒了，
把樹根也掘去。——
哈哈！好了！』

二

大樹被斫做柴燒，
樹根不久也爛完了。
斫樹的人狠得意，
他覺得狠平安了。

三

但是那樹還有許多種子，——
狠小的種子，裹在有刺的殼裏，—
上面蓋着枯葉，
葉上堆着白雪，
狠小的東西誰也不注意。

四

雪消了，
枯葉被春風吹跑了。

那有刺的殼都裂開了，
每個上面長出兩瓣嫩葉，
笑迷迷的好像是說：
『我們又來了！』

五

過了許多年，
壩上田邊都是大樹了。
辛苦的工人在樹下乘涼；
聰明的小鳥在樹上歌唱，——

那斫樹的人到那裏去了？

八年九月二十夜。

上山

『努力！努力！

努力望上跑！』

我頭也不回，

汗也不揩，

拚命的爬上山去。

『半山了！努力！

努力望上跑，』

上面已沒有路，
我手攀着石上的青藤，
腳尖抵住岩石縫裏的小樹，
一步一步的爬上山去。

『小心點！努力！
努力望上跑！』

樹椿扯破了我的衫袖，
荊棘刺傷了我的雙手，
我好容易打開了一線路爬上山
去。

『好了！上去就是平路了！
努力！ 努力望上跑！』

上面果然是平坦的路，
有好看的野花，
有遮陰的老樹。
但是我可倦了，
衣服都被汗濕遍了，
兩條腿都軟了。
我在樹下睡倒，

聞着那撲鼻的草香，
便昏昏沉沉的睡了一覺。
睡醒來時，天已黑了，
路已行不得了，
『努力』的喊聲也滅了。……
猛省！猛省！
我且坐到天明，

明天絕早跑上最高峯，
去看那日出的奇景！

八年九月二十八夜。

週歲——祝晨報一年紀念

唱大鼓的唱大鼓，
變戲法的變戲法。
彩棚底下許多男女賓，
擠來擠去熱鬧煞！

主人抱出小孩子，——
這是他的週歲，——
我們大家圍攏來，

給他開慶祝會。

有的祝他多福，
有的祝他多壽。
我也擠上前來，
鄭重祝他奮鬥。

『我賀你這一杯酒，
恭喜你奮鬥了一年；

恭喜你戰勝了病鬼，
恭喜你平安健全。』

『我再賀你一杯酒，
祝你奮鬥到底：
你要不能戰勝病魔，
病魔會戰勝了你！』

八年十一月二十七日。

一顆遭劫的星

北京國民公報響應新思潮最早，遭忌也最深。今年十一月被封，主筆孫幾伊君被捕。十二月四日判決，孫君定監禁十四個月的罪。我爲這事做這詩。

熱極了！

更沒有一點風！
那又輕又細的馬纓花鬚
動也不動一動！
好容易一顆大星出來；
我們知道夜涼將到了：——
仍舊是熱，仍舊沒有風，
只是我們心裏不煩躁了。

忽然一大塊黑雲
把那顆清涼光明的星圍住；
那塊雲越積越大，
那顆星再也衝不出去！

烏雲越積越大，
遮盡了一天的明霞；
一陣風來，
拳頭大的雨點淋漓打下！

大雨過後，
滿天的星都放光了。
那顆大星歡迎着他們，
大家齊說，『世界更清涼了！』

八年十二月十七日。

嘗試集

六八

去國集

自序

胡適既已自誓將致力於其所謂『活文學』者，乃删定其六年以來所爲文言之詩詞，寫而存之，遂成此集。名之曰去國，斷自庚戌也。昔者譚嗣同自名其詩文集曰『三十以前舊學第幾種』。今余此集，亦可謂之六年以來所作『死文學』之一種耳。

集中詩詞，一以年月編纂，欲稍存文字進退，及思想變遷之跡焉爾。

民國五年七月。

自序

二

去國行　二章

一

木葉去故枝，遊子將遠離。故人與昆弟，送我江之湄。執手一爲別，慘愴不能辭。從茲萬里役，況復十年歸！金風正蕭瑟，別淚沾客衣。丈夫宜壯別，而我獨何爲？

二

扣舷一凝睇，一髮是中原。揚冠與汝別，征衫有淚痕。高邱豈無女，猙獰百鬼蹲。蘭蕙日荒穢，羣盜滿國門。搴裳渡重海，何地招汝魂！揮淚重致詞：祝汝長壽年！

庚戌秋。

翠樓吟

霜染寒林，風摧敗葉，天涯第一重九。登臨山徑曲，聽萬壑松濤驚吼。山前山後，更何處能尋黃花茱酒？沉吟久，溪橋歸晚，夕陽遙岫。 應念鱸膾蓴羹，祇季鷹羈旅，此言終負。故園三萬里，但夢裏桑麻柔茂。最難回首，願「今歸來，河山如舊！今何有，倚樓遊子，淚痕盈袖。

水龍吟

綺色佳秋暮

無邊橡紫榆黃，更青青映松無數。平生每道，一年佳景，莫如秋暮。傾倒天工，染渲秋色，清新如許。使詞人憨絕，殷殷私祝：『秋無恙，秋常住！』 悽愴都成虛願。有西風任情相妒。蕭颼木末，亂楓爭墜，紛紛如雨。風捲平蕪，淺黃新赭，一時飛舞。且徘徊陌上溪頭，黯黯看秋歸去。

元年十一月初六日。

耶穌誕節歌

冬青樹上明纖炬，冬青樹下讙兒女，高歌頌神歌且舞。朝來阿母含笑語：『兒輩馴好神佑汝。竈前懸襪青絲縷。竈突神下今夜午，朱衣高冠鬢眉古。神之來下不可覩，早睡慎毋干神怒。』明朝襪中實餳粄，有蠟作鼠紙作虎，夜來一一神所予。明日舉家作大酺，殺鷄大於一歲殺。堆盤肴果難悉數。食終腹鼓不可俯。歡樂勿忘神之祜，上帝之子天下主。

二年十二月二十六日。

大雪放歌

四

任叔永作歲莫雜詠詩，余謂叔永『君每成四詩，當以一詩奉和。』後叔永果以四詩來，皆大佳。其狀冬日景物，甚盡而工，非下走所可企及。徒以有宿約不可追悔，因作此歌，呈叔永。

往歲初冬雪載塗，今年聖誕始大雪。天工有意弄奇詭，積久迸發勢益烈。夜深飛屑始叩窗，侵晨積絮可及膝。出門四顧喜欲舞，瓊瑤十里供大閱。小市疏林迷遠近，山與天接不可別。眼前諸松耐寒歲，虬枝壓垂欲折。窺人松鼠寒可憐，覓食凍雀跡亦絕。毳衣老農朝入市，令令瘦馬駕長橇。道逢相識遙告語，『明年麥子未應劣。』路旁讙呼小兒女，冰槳鐵屐手提挈。昨夜零下二十度，湖面凍合堅可滑。客子踏雪來復去，朔風齧膚手皴裂。歸來烹茶還賦詩，短歌大笑忘日昳。開窗相看兩不厭，清寒已足消內熱。百憂一時且棄置，吾輩不可負此日。

二年十二月

久雪後大風寒甚作歌

夢中石屋壁欲搖，夢回窗外風
怒號，澎湃若擁萬頃濤。
侵晨出門凍欲僵，冰風挾雪捲
地狂，齧肌削面不可當。
與風寸步相撐支，呼吸梗絕氣
力微，漫漫雪霧行徑迷。
玄冰遮道厚寸許，每虞失足傷
折股，旋看落帽凌空舞。
落帽狼狽掴猶可。未能捷足何
嫌跛。抱頭勿令兩耳墮。
入門得暖寒氣蘇，隔窗看雪如
畫圖，背爐安坐還讀書。
明朝日出寒雲開，風雪於我何
有哉！待看雪盡春歸來！

三年正月。

哀希臘歌

The Isles of Greece

英國詩人裴倫所著。裴倫George Gordon Byron生於西歷一七八八年，死於一八二四年。死時纔三十六歲，而著作等身，詩名蓋世，亦近代文學史上一怪傑也。其平生行事詳諸家專傳，不復述。

此歌凡十六章，見裴倫所著長劇『唐澤』Don Juan中。託爲希臘詩人弔古傷今之辭，以激勵希人愛國之心。其詞至慷慨哀怨。『唐澤』一劇，讀者今已甚寡。獨此詩傳誦天下。當希臘獨立之師之興也，裴倫恥其僅以文字鼓舞希人，遂毁家助餉。渡海投獨立軍自効。未及與戰而死。巴爾幹半島之人，至今追思之不衰。今希臘已久脫突厥之羈絆。近年以來，尤能自振拔，爲近東大國。雖其文明武功或猶未逮當日斯巴達雅典之盛，然裴倫夢想中獨立自主之希臘，則已久成事實。惜當年慷慨從軍之詩人，不及生見之耳。

裴倫少年負盛名，頗不修細行，風流自恣。爲英倫社會所不容。遂去國遠游，不復歸。其晚年，以助希臘獨立而死，亦可爲善自懺悔者也。今之後生，掇拾裴倫一二浮豔綺麗之詞，便以裴倫自命，豈眞知裴倫者哉。

此詩之入漢文，始於梁任公之『新中國未來記』小說。惟任公僅譯一三兩章。其後馬君武譯其全文，刋於『新文學』中。後蘇曼殊復以五言古詩譯之。

民國二年，吾友張耘來美洲留學，攜有馬蘇兩家譯本。余因得盡讀之。頗嫌君武失之訛，而曼殊失之晦。訛則失眞，晦則不達，均非善譯者也。當時余許張君爲重譯此詩。久而未能踐諾。三年二月一夜，以四小時之力，譯之。既成復改削數月，始成此本。更爲之注釋，以便讀者。蓋詩中屢用史事，非注，不易領會也。

裴倫在英國文學上，僅可稱第二流人物。然其在異國之詩名，有時竟在蕭士比彌兒敦之上。此不獨文以人傳也。蓋裴倫爲詩，富

於情性氣魄，而鑄詞鍊句，頗失之粗豪。其在原文，疵瑕易見。而一經翻譯，則其詞句小疵，往往爲其深情奇氣所掩，讀者僅見其所長，而不覺其所短矣。裴倫詩名之及於世界，此亦其一因也。

五年五月十一夜。

一

嗟汝希臘之羣島兮，
實文教武術之所肇始。
詩媛沙浮嘗詠歌於斯兮，
亦羲和素娥之故里。
今惟長夏之驕陽兮，
紛燦爛其如初。
我徘徊以憂傷兮，
哀舊烈之無餘！

The Isles of Greece

I

The isles of Greece, the isles of Greece!
　　Where burning Sappho loved and sung,
Where grew the arts of war and peace,
　　Where Delo's rose, and phœfus sprung!
Eternal summer gilds them yet,
But all, except the sun, is set.

沙浮古代女詩人。生西歷前六百年。

Phoebus 日神也。Delos 地名。相傳日神月神皆生於此。此與日神並舉，當指月神也。

去國集

二

悠悠兮，我何所思？
荷馬兮阿難。
慷慨兮歌英雄，
纏綿兮敍幽歡。
享盛名於萬代兮，
獨岑寂於斯土；
大聲起乎仙島之西兮，
何此邦之無語。

II

The Scian and the Teian muse,
The hero's harp, the lover's lute,
Have found the fame your shores refuse,
Their place of birth alone is mute
To sounds which echo further west
Than your sires' "Islands of the Blest."

二 荷馬Homer生於Scios故曰Scian。阿難Anacreon生於Teos故曰Teian。荷馬之詩歌英雄，阿難之詩敍兒女，實開二大詩派云。神話，西海盡頭，有仙島，神仙居之。此蓋用以指西歐諸自由國，或專指英倫耳。

三

馬拉頓後兮山高，
馬拉頓前兮海號。
哀時詞客獨來游兮，
猶夢希臘終自主也；
指波斯京觀以爲正兮，
吾安能奴僇以終古也！

III

The mountains look on Marathon—
And Marathon looks on the sea;
And musing there an hour alone,
I dream'd that Greece might still be free;
For standing on the Persians' grave,
I could not deem myself a slave.

西歷前四百九十年，波斯人西侵，雅典人大敗之於馬拉頓。

四

彼高崖何巉巖兮，
俯視沙拉米之濱；
有名王嘗踞坐其巓兮，
臨大海而點兵。
千檣兮照海，
列艦兮百里。
朝點兵兮，何紛紛兮，
日之入兮，無復存兮！

IV

A king sate on the rocky brow
　Which looks o'er sea-born Salamis;
And ships, by thousands, lay below,
　And men in nations;— all were his!
He counted them at break of day—
And when the sun set, where were they?

馬拉頓之敗，波人恥之。後十年—四八○年—新王Xerxes大舉征希臘，大艦千二百艘，小舟三千艘，軍威之盛，爲古史所未有。雅典人禦之，戰於沙拉米，波師大敗，失巨艦無算，餘艦皆遁。明年，復爲斯巴達援師所敗。

五

往烈兮難追；
故國兮，汝魂何之？
俠子之歌，久銷歇兮，
英雄之血，難再熱兮，
古詩人兮，高且潔兮；
琴荒瑟老，臣精竭兮。

V

And where were they? and where art thou,
  My country? on thy voiceless shore
The heroic lay is tuneless now—
  The heroic bosom beats no more!
And must thy lyre, so long divine,
Degenerate into hands like mine?

六

雖舉族今奴虜兮，
豈無遺風之猶在？
吾慨慷以悲歌兮，
耿憂國之磈磊。
吾惟餘赬顏爲希人羞兮，
吾惟有淚爲希臘灑。

VI

Tis something in the dearth of fame,
Though link'd among a fetter'd race,
To feel at least a patriot's shame,
Even as I sing, suffuse my face;
For what is left the poet here?
For Greeks a blush– for Greece a tear.

七

徒愧赧曾何益兮，
嗟雪涕之計拙；
獨不念我先人兮，
爲自由而流血？
吾欲訴天閽兮，
還我斯巴達之三百英魂兮！
尚令百一存兮，
以再造我瘦馬披離之關兮！

VII

Must we but weep o'er days more blest?
Must we but blush?—Our fathers bled.
Earth! render back from out thy braast
A remnant of our Spartan dead!
Of the three hundred grant but three,
To make a new Thermopylae!

瘦馬披離，關名。西歷前四百八十年希臘列國協商以此爲列國樞紐。及波斯軍來侵，斯巴達勇士三百人守此。關破，三百人皆死之。

八

沉沉希臘，猶無聲兮；
惟聞鬼語，作潮鳴兮。
鬼曰：『但令生者一人起兮，吾曹
雖死，終陰相爾兮！』
嗚咽兮鬼歌，
生者之瘖兮奈鬼何！

VIII

What, silent still? and silent all?
Ah! no,– the voices of the dead
Sound like a distant torrent's fall,
And answer, "Let one living head,
But one arise,– we come, we come!"
'Tis but the living who are dumb.

九

吾嘵嘵兮終徒然！
已矣兮何言！
且爲君兮彈別曲，
注美酒兮盈尊！
姑坐視突厥之跋扈兮，
聽其宰割吾胞與兮，
君不聞門外之簫鼓兮，
且赴此貝凱之舞兮！

IX

In vain—in vain: strike other chords;
Fill high the cup with Samian wine!
Leave battles to the Turkish hordes!
And shed the blood of Scio' s vine.
Hark! rising to the ignoble call–
How answers each bold Bacchanal!

原文第三四句疑指突厥人屠殺綷訶城事。此城即詩人荷馬生長之地也。貝凱之舞者，希人宗教儀節之一種，巫覡舞禱，男女聚樂，以娛神焉。

十

汝猶能霹靂之舞兮，
霹靂之陣今何許兮？
舞之靡靡猶不可忘兮，
奈何獨忘陣之堂堂兮？
獨不念先人佉摩之書兮，
寧以遺汝庸奴兮？

X

You have the Pyrrhic dances yet;
Where is the Pyrrhic phalanx gone?
Of two such lessons, why forget
The nobler and the manlier one?
You have letters Cadmus gave—
Think ye he meant them for a slave?

霹靂 Pyrrhus 爲 Epirus 之王，嘗屢立戰功，此舞即其所作戰陣之樂。

佉摩者，神話相傳爲腓尼西之王，遊希臘之梯伯部，與龍鬬，屠龍而拔其齒，種之皆成勇士，遂爲其地之始祖。佉摩自腓尼西輸入字母，遂造希臘文。

十一

懷古兮徒頹冕，
注美酒兮盈尊！
一醉兮百憂泯！
阿難醉兮歌有神。
阿難蓋代詩人兮，
信嘗事暴君兮；
雖暴君兮，
猶吾同種之人兮。

XI

Fill high the bowl with Samian wine!
 We will not think of themes like these!
It made Anacreon's song divine;
 He served–but served Polycrates–
A tyrant; but our masters then
Were still, at least, our countrymen.

阿難見任於希王 Polycrates，古之暴主也。

去國集

十二

吾所思兮，
米爾低兮，
武且休兮，
保我自由兮。
吾撫昔而涕淋浪兮，
遺風誰其嗣昌？
誠能再造我家邦兮，
雖暴主其何傷？

XII

The tyrant of the Chersonese
Was freedom's best and bravest friend;
That tyrant was Miltiades!
Oh! that present hour would lend
Another despot of the kind!
Such chains as his were sure to bind.

三

馬拉頓之役，米之功最大。此章懷古而歎今之無人也。

按此章及上章皆憤極之詞。其時民族主義方大熾，故詩人於種族一方面尤再三言之；民權之說，幾爲所掩。讀者不可驟謂裴倫初不言民權也。

十三

汢美酒兮盈杯，
悠悠兮吾懷！
湯湯兮白階之岸，
崔巍兮修里之崖，
吾陀離之民族兮，
實肇生於其間；
或猶有自由之種兮，
歷百刼而未殘。

XIII

Fill high the bowl with Samian wine!
  On Suli's rock, and Parga's shore,
Exists the remnant of a line
  Such as the Doric mothers bore;
And there, perhaps, some seed is sown,
The Heracleidan blood might own.

希人分兩大族，一爲伊俄甯族（Ionians）一爲陀離族（Dorians）陀離族稍後起，起於北方，故有白階修里云云。修里山在西北部，希人獨立之役，修里之人最有功云。

十四

法蘭之人，烏可託兮，
其王貪狡，不可度兮。
所可託兮，希臘之刀；
所可任兮，希臘之豪。
突厥慓兮，
拉丁狡兮，
雖吾盾之堅兮，
吾何以自全兮？

XIV

Trust not for freedom to the Franks,
  They have a king who buys and sells,
In native swords and native ranks,
  The only hope of courage dwells:
But Turkish force, and Latin fraud,
Would break your shield, however broad.

希臘之謀獨立也，始於十九世紀初葉。其時『神聖同盟』之約墨猶未乾，歐洲君主相顧色變，以爲民權之燄復張矣，故深忌之，或且陰沮尼之，法尤甚焉。此詩所以戒希臘人士也。

十五

注美酒兮盈杯！
美人舞兮低徊！
眼波兮盈盈，
一顧兮傾城；
對彼美兮，
淚下不能已兮；
子兮子兮，
胡爲生兒爲奴婢兮！

XV

Fill high the bowl with Samian wine!
  Our virgins dance beneath the shade–
I see their glorious black eyes shine;
  But gazing on each glowing maid,
My own the buining tear-drop laves,
To think such breasts must suckle slaves.

法國集

十六

置我乎須寧之巖兮，
——狎波濤而爲伍；
且行吟以悲嘯兮，
惟潮聲與對語；
如鴻鵠之逍遙兮，
將於是焉老死：
奴隸之國非吾土兮，——
碎此杯以自矢！

XVI

Place me on Sunium' s marbled steep,
Where nothing, save the waves and I,
May hear our mutual murmurs sweep;
There, swan-like, let me sing and die:
A land of slaves shall ne'er be mine—
Dash down yon cup of Samian wine!

二六

游影飛兒瀑泉山作

影飛兒瀑泉，Enfield Falls 去綺色佳約八英里。民國三年五月十一日，吾往游焉。同游者四人：美國穆休爾女士，蔣生女士，密能君，南非洲赫登輝君也。叔永謂此詩末段命意大似王介甫褒禪山記。細思之，果然。三年五月十三日。

春深百卉發，羈人思故園，良友知我懷，約我遊名山。清晨集伴侶，朝日在林端。緣溪入深壑，巖竦不可捫。道狹露未乾，新葉吐奇芬。鳥歌破深寂，松鼠驚避人。轉石堆作梁，將扶度淺灘。危巖不容趾，籐根粗可攀。徑險境愈幽，彷彿非人間。探奇未及午，驚濤到耳喧。尋聲下前澗，飛瀑當我前。舉頭帽欲墮，了不見其顛。奔流十數折，折折成珠簾。澎湃激崖石，飛沫作霧翻。兩旁峯映雲，逶迤相迴環。譬之絕代姿，左右圍翠鬟。又如葉護花，掩映成奇觀。對此不能去，且復傍水餐。渴來接流飲，冷冽清肺肝。坐久忘積暑，更上窮水源。山石巉可劖。履穿欲到跟。攀援幸及頂，俯視卑羣巒。天風吹我衣，長嘯百憂寬。歸途向山脊，稍稍近人煙。板橋通急澗，石磴鑿山根。從容出林麓，歸來日未曛。茲遊不可忘，中有至理存：佳境每深藏，不與淺人看。勿惜幾兩屐，何畏山神慳？要知尋山樂，不在花鳥妍。冠蓋看山者，皮相何足論？作詩敘勝游，持以謝嬋娟。

自殺篇

任叔永有弟季彭，居杭州。壬癸之際，國事糜爛，季彭憂憤不已，遂發狂，一夜，潛出，投葛洪井死。叔永時在美洲，追思逝者，乃掇季彭生時所寄書成一集，而係以詩。有『何堪更發舊書讀，腸斷脊令風雨聲』之句。季彭最後寄諸兄詩，有『原上脊令風雨聲』之語，故叔永詩及之。叔永索余題辭集上，遂成此篇，凡長短五章。三年七月七日。

叔永至性人，能作至性語。脊令風雨聲，使我心愁苦。

我不識賢季，焉能和君詩？頗有

傷心語，試爲君陳之。

叔世多哀音，危國少生望。此爲恆人言，非吾輩所尙。奈何賢哲人，平昔志高抗，一朝受挫折，神氣遽沮喪？下士自放棄，朱樓醉春釀。上士羞獨醒，一死謝諸妄。三閭逮賢季，苦志都可諒。其愚亦莫及，感此意慘愴。

我聞古人言，『艱難惟一死。』我獨不謂然，此欺人語耳。盤根與錯節，所以見奇士。處世如臨陣，無勇非孝子。雖三北何傷？一戰待雪恥。殺身豈不易？所志不止此。生材必有用，何忍付蟲蟻？枯楊會生稊，河淸或可俟。但令一息存，此志未容已。

春秋誅賢者，我以此作歌。茹鯁久欲吐，未敢避譴訶。

送許肇南（先甲）歸國

秋風八月送殘暑，天末忽逢故人許。烹茶斗室集吾侶，高談奕奕忘夜午。評論人物屈指數，爽利似聽蕉上雨，明辨如聞老吏語，君家汝南今再覩。慷慨為我道出處，不為良相為良賈。願得黃金堆作塢，遍交天下奇男女。（君昨書某君冊子云『願得黃金三百萬，交盡天下美人名士。』）自言『國危在貧窶。餓莩未可任艱鉅。能令通國無空庾，自有深夜不閉戶。』又言『吾曹國之主，責人無已亦無取。宜崇令德相夾輔，誓為宗國去陳腐。譬如築室先下礎，綱領既具百目舉。』我聞君言如飲醑，振衣欲起為君舞。君歸且先建旗鼓，他日歸來隸君部。

三年八月十四日。

墓門行

四月十二日，讀紐約晚郵報，有無名氏題此詩於屋斯託克North Woodstock, N.H.村外叢塚門上。詞旨悽惋，余且讀且譯之，遂成此詩。已付吾友叔永，令刋季報中矣。一日，偶舉此詩，告吾友客鸞女士Marion

D. Crane。女士自言有友克琴君Arthur Ketchum工詩，又嘗往來題詩之地，此詩或出此君之手，亦未可知。余因囑女士為作書詢之。後數日，女士告我，新得家書，附有前所記之詩，乃別自一報剪下者。附注云：「此詩乃克琴君所作」

女士所度果不謬，余亦大喜。因作書，並寫譯稿寄之，遂訂交焉。此亦一種文字因緣，不可不記。因記之以爲序。四年四月十二日。

伊人寂寂而長眠兮，
任春與秋之代謝。
野花繁其弗賞兮，
亦何知冰深而雪下？
水潺湲兮，
長楊垂首而聽之。
鳥聲喧兮。
好音誰其應之？
風嗚咽而怒飛兮，
陳死人安所知兮？

和平之神，
穆以慈兮。
長眠之人，
於斯永依兮。

Such quiet has come to them,
The Springs and Autumns pass,
Nor do they know if it be snow
or daisies in the grass.

All day the birches bend to hear
the river's undertone;
Across the hush a fluting thrush
Sings evensong alone.

But down their dream there drifts no sound,
The winds may sob and stir.
On the still breast of Peace they rest--
And they are glad of her.

By Arthur Ketchum.

滿庭芳

楓翼敲簾，榆錢鋪地，柳棉飛上春衣。落花時節，隨地亂鶯啼。枝上紅襟軟語，商量定，掠地雙飛。何須待，銷魂杜宇，勸我不如歸？　歸期今倦數。十年作客，已慣天涯。況壑深多瀑，湖麗如斯。多謝殷勤我友，能容我傲骨狂思。頻相見，微風晚日，指點過湖堤。

四年六月十二日。

(註)紅襟者，鳥名。英文Robin 俗名 Redbreast。

楓翼者，楓樹子皆有薄翅包之，其形似蜻蜓之翅。凡此類之種子，如榆之錢，楓之翼，皆以便隨風遠颺也。

水調歌頭 今別離 有序

民國四年七月二十五夜，月圓。疑是陰歷六月十五夜也。余步行月光中，賞玩無厭。忽念黃公度今別離第四章，以夢詠東西兩半球晝夜之差，其意甚新。於四章之中，此爲最佳矣。又念此意亦可假月寫之。杜

工部：『今夜涪州月，閨中只獨看。』白香山云：『共看明月應垂淚，一夜鄉心五處同。』蘇子瞻云：『但願人長久，千里共嬋娟！』皆古別離之月也。今去國三萬里，雖欲與國中骨肉歡好共此嬋娟之月色，安可得哉。感此，成英文小詩

二章。復自譯之，以爲今別離之續。人境廬有知，或當笑我爲狗尾之續貂耳。

『但願人長久，千里共嬋娟！』我歌坡老佳句，回首十年前。照汝黃山之下，照我春中古渡，同此月團欒。皎色映征袖，輕露溼雲鬟。今！已矣空對此月新圓，清輝脈脈如許，誰與我同看？料得今宵此際，伴汝鷓鴣聲裏，驕日欲中天。簾外繁花影，郁上午炊烟。

四年八月三日。

臨江仙

隔樹溪聲細碎，迎人鳥唱紛譁。共穿幽徑趁溪斜。我和君拾葚，君替我簪花。　更向水濱同坐，驕陽有樹相遮。語深渾不管昏鴉。此時君與我，何處更容他？

四年八月二十四日。

將去綺色佳，叔永以詩贈別。作此奉和，即以留別。

橫濱港外舟待發，徜徉我方坐斗室，檸檬杯空菸捲殘，忽然人面過眼瞥。疑是同學巴縣任，細看果然慰飢渴。扣舷短語難久留，惟有相思耿胸臆。明年義師起中原，遂爲神州掃胡羯。遙聞同學諸少年，乘時建樹皆宏達。中有我友巴縣任，翩翩書記大手筆。策勳不樂作議員，願得西方醫國術。遠來就我歡可知。三年卒卒重當別。幾人八年再同學？況我與君過從密，往往論文忘晨昳，時復議政同哽咽。相知益深別更難，贈我新詩語眞切。君期我作瑪志尼，我祝君爲倭斯韈。國事今成遍體瘡，治頭治脚俱所急。勉之勉之我友！任歸來與君同僇力。

四年八月二十九夜。

（注）瑪志尼Mazzini意大利文學家，世所稱『意大利建國三傑』之一也。倭斯韈 Wilhelm Ostwald 德國科學大家，今猶生存。

沁園春

將之紐約，楊杏佛以詞送行。有『三稔不相見，一笑遇他鄉。暗驚狂奴非故，收東入名場。』之句。實則杏佛當日亦狂奴耳。其詞又有『欲共斯民溫飽』之語。余既喜吾與杏佛今皆能放棄故我，重修學立身，又壯其志願之宏，故造此詞奉答，即以留別。

朔國秋風，汝遠東來，過存老胡。正相看一笑，使君與我，春申江上，兩箇狂奴。客裏相逢，殷勤問字，不似當年舊酒徒。還相問：『豈胸中塊壘，今盡消乎？』 君言：『是何言歟！祇壯志新來與昔殊。願乘風役電，戡天縮地，頗思瓦特，不羨公輸。戶有餘糈，人無菜色，此業何嘗屬腐儒？吾狂甚，欲斯民溫飽，此意何如？』

四年九月二日。

（註）瓦特 James Watt，卽發明汽機者。

送梅覲莊往哈佛大學

一

吾聞子墨子有言：『爲義譬若築牆然。能實壞者且實壞，能築者築，掀者掀。』（耕柱篇語。掀本作欣，依畢沅說改。）吾曹謀國亦復爾，待舉之事何紛紛。所賴人各盡所職，未可責備於一人。同學少年識時務，學以致用爲本根。爭言『治病須對症，今之大患弱與貧。但祝天生幾牛敦，還乞千百客兒文，輔以無數愛迭孫，便教國庫富且殷，更無誰某婦無褌。乃練熊羆百萬軍。誰其帥之拿破崙。恢我土宇固我藩，百年奇辱一朝翻。』

二

凡此羣策豈不偉？有人所志不在此。卽如吾友宣城梅，自言『但願

作文士。舉世何妨學倍根，我獨遠慕蕭士比。』梅君少年好文史，近更摭拾及歐美。新來爲文頗諧詭，能令公怒令公喜。昨作檄討夫已氏，儻令見之魄應褫。又能虛心不自是，一稾十易猶未已。梅君梅君毋自鄙。神州文學久枯餒，百年未有健者起。新潮之來不可止，文學革命其時矣。吾輩勢不容坐視，且

復號召二三子鞭笞驅除一車鬼，再拜迎入新世紀。以此報國未云菲，縮地戡天差可儗。梅君梅君毋自鄙。

三

作歌今送梅君行，狂言人道臣當烹。我自不吐定不快，人言未足爲重輕。居東何時遊康可，爲我一弔愛謀生，更弔霍桑與索虜，此三子

者皆崢嶸。應有『烟士披里純』爲君奚囊增瓊英。

四年九月十七日。

(註) 此詩凡用外國字十一：

牛敦 Newton 英國科學家。客兒文 Kelvin 英國近代科學大家。愛迭孫 Edison 美國發明家。拿破崙 Nap oleon。倍根 Bacon 英國哲學家，主戡天之說，又創歸納名學，爲科學先導。蕭士比 Shakespeare 英國文學鉅子。舊譯莎士比亞。康可 Concord 地名，去哈佛不遠，十九世紀中葉此邦文人所聚也。愛謀生 Emerson，霍桑 Hawthorne，索虜

Thoreau，以上三人，美國文人，亦哲學家；墓皆在康可。『烟士披里純』Inspiration 直譯有『神來』之意。梁任公以音譯之，又爲文論之，見飲冰室自由書。

相思

自我與子別，於今十日耳。奈何
十日間，兩夜夢及子。
前夜夢書來，謂無再見時。老母
日就衰，未可遠別離。
昨夢君歸來，歡喜臨江坐。語我
故鄉事，故人頗思我。
吾乃無情人，未知愛何似。古人
說『相思，』無乃頗類此？

秋聲 有序

老子曰：『吾有三寶，持而寶之：一曰慈，二曰儉，三曰不敢爲天下先。』此三寶者，吾於秋日疏林中盡見之。落葉，慈也。損小己以全宗幹，可謂慈矣。松柏需水供至微，故能生水土澆薄之所，秋冬水絕，亦不慮匱乏。人但知其後彫，而莫知後彫之由於能儉也。松柏不與眾木爭肥壤，而其處天行獨最適。則亦所謂『夫唯不爭故天下莫能與之爭』者也。遂賦之。

出門天地闊，悠然喜秋至。疏林發清響，眾葉作雨墜。山蹊少人跡，積葉不見地。楓榆但餘枝，槎枒具高致。大橡百年老，敗葉剩三四。諸松傲秋霜，未始有衰態。舉世隨風靡，何汝獨蒼翠？

虯枝忽自語，語語生妙籟：

『天寒地脈枯，萬木絕飲飼。布根及一畝，所得大微細。本幹保已難，枝葉在當棄。脫葉以存本，傷哉此高誼。

吾儕松與柏，頗以儉自勵。取
諸天者廉，天亦不吾廢。故能
老巖石，亦頗耐寒歲，全軀復
全葉，不爲秋憔悴』
我聞諸松言，低頭起幽思，舉頭
謝諸松：『與爾勉斯志！』
五年一月續成去年舊
稿。

秋柳

但見蕭颼萬木摧，尙餘垂柳拂人
來。西風莫笑柔條弱，也向西風舞
一回。

此七年前（己酉）舊作
也原序曰：
秋日適野，見萬木皆有
衰意，而柳以弱質際茲

高秋，獨能迎風而舞，意態自如。豈老氏所謂能以弱存者耶。感而賦之。年來頗歷世故，亦稍稍讀書，益知老氏柔弱勝剛强之說，證以天行人事，實具妙理。近人爭言『優勝劣敗，適者生存。』彼所謂適，所謂優，未必卽在强暴武

力。蓋物類處境不齊，但有適不適，不在强不强也。兩年以來，兵禍之烈，亘古未有，試問以如許武力，其所成就，究竟何在？又如比利時以彈丸之地，拒無敵之德意志，豈徒無濟於事，又大苦彼無罪之民。雖螳臂當車，淺人或慕其能怒，而

弱卵擊石，仁者必謂爲至愚矣。此豈獨大違老子齒亡舌存之喩，抑亦孔子所謂『小不忍則亂大謀』者歟。以是之故，兩年以來余往往念及此詩，有時亦爲人誦之。以爲庚戌以前所作詩詞，一一都宜删棄，獨此二十八字或不無可存之價値。遂爲改易數字，附寫於此，雖謂爲去國後所作，可也。

五年七月。

沁園春 誓詩

更不傷春,更不悲秋,以此誓詩。任花開也好,花飛也好,月圓固好,日落何悲?我聞之曰,『從天而頌,孰與制天而用之?』更安用為蒼天歌哭,作彼奴為! 文章革命何疑!且準備搴旗作健兒。要前空千古,下開百世,收他臭腐,還我神奇。為大中華,造新文學,此業吾曹欲讓誰?詩材料,有簇新世界供我驅馳。

五年四月十二日。

中華民國九年三月初版

嘗試集

每冊定價洋三角

外埠酌加郵費

著者　胡適

發行者　上海五馬路棋盤街西首　亞東圖書館

印刷者　上海五馬路棋盤街西首　亞東圖書館

分售者　各省各大書店